人工智能与教育

政策制定者指南

联合国教科文组织 编

教育科学出版社
·北京·

UNESCO——全球教育领导机构

教育是联合国教科文组织工作的重中之重,它既是一项基本人权,也是建设和平和推动可持续发展的基础。教科文组织是主管教育的联合国专门机构,其教育部门在全球和地区的教育领域发挥领导作用,致力于加强各国教育体系并通过教育应对当今的全球挑战,尤为重视性别平等和非洲。

2030年全球教育议程

教科文组织作为主管教育的联合国专门机构,负责领导并协调2030年教育议程。该议程是旨在通过17项可持续发展目标在2030年前消除贫穷的全球运动的一部分。教育既是实现各项可持续发展目标的关键,同时自身也是一项目标(可持续发展目标4),即"**确保包容和公平的优质教育,让全民享有终身学习机会**"。《2030年教育行动框架》为落实这一宏伟目标及各项承诺提供了指导方针。

联合国教育、科学及文化组织2021年出版,法国巴黎07SP丰特努瓦广场7号,邮政编码75352

© UNESCO / 教育科学出版社 2021

原著ISBN 978-92-3-100447-6

本书为开放获取出版物,授权协议为 Attribution-ShareAlike 3.0 IGO (CC-BY-SA 3.0 IGO) (http://creativecommons.org/licenses/by-sa/3.0/igo/)。用户使用本书内容,即表明同意接受教科文组织开放获取资源库使用条件的约束(www.unesco.org/open-access/terms-use-ccbysa-chi)。

英文版书名:*AI and education: guidance for policy-makers*
联合国教育、科学及文化组织2021年出版

本书所用名称及其材料的编制方式并不意味着教科文组织对于任何国家、领土、城市、地区或其当局的法律地位,或对于其边界或界线的划分,表示任何意见。

本书表达的是作者的看法和意见,而不一定是教科文组织的看法和意见,因此本组织对此不承担责任。

作者:苗逢春、Wayne Holmes、黄荣怀、张慧
封面图片:SChompoongam/Shutterstock.com、Lidiia/Shutterstock.com及illustrator096/Shutterstock.com
装帧设计:Anna Mortreux

概　述

人工智能与教育：
前景与启示

人工智能（Artificial Intelligence，AI）有望解决当今教育面临的部分重大挑战，革新教学实践，最终加快迈向可持续发展目标4的进程。然而，这些技术的快速发展不可避免地带来了种种风险和挑战，目前相应政策讨论与监管框架变革的速度已赶不上其发展速度。

本书为政策制定者提供指南，指导政策制定者充分利用人工智能与教育深度融合带来的机遇以及应对随之而来的风险。

本书开篇讲述人工智能的相关必备知识：定义、底层技术和技术应用。然后，详细分析人工智能新兴趋势及其对教学的影响，包括我们如何确保人工智能技术在教育中的应用合乎伦理、包容和公平，教育如何能够帮助人类与人工智能共处与合作，以及如何发掘人工智能潜力，促进教育发展。最后，本书论述利用人工智能实现可持续发展目标4所面临的挑战，并且为政策制定者因地制宜规划政策和项目提供切实可行的建议。

> 2024年
> 人工智能教育
> 应用市场规模
> 预计将达到
> **60亿** 美元

"战争起源于人之思想，
故务需于人之思想中
筑起保卫和平之屏障。"

序

人工智能技术的迅速发展对教育发挥着重大影响。人工智能赋能解决方案的进步蕴含着巨大潜力，有望促进社会公益事业和实现可持续发展目标。要使这些成为现实，离不开全系统的政策调整，同时需要健全的伦理监督，以及全球从业人员和研究人员的深度参与。

政策制定者和教育工作者已然走进未知领域，面临有关未来学习如何与人工智能相互作用的基本问题。人工智能技术在教育中的部署和应用必须遵循包容和公平的原则，这是底线。为此，相关政策必须促进公平和普遍地获取人工智能技术，倡导将人工智能技术作为一种共有物品（public good）的非排他性应用，并注重赋能女童、妇女和社会经济弱势群体。新型人工智能技术在教育中的应用日益增长。如若人工智能技术在设计上有意增进以人为本的教学法并尊重伦理规范及标准，那么这一趋势对整个人类有益无害。人工智能技术应以促进每个学生学习、赋能教师队伍和强化学习管理系统为导向。除此之外，帮助受教育者和全体公民在生活和工作中安全有效地利用人工智能是全球面临的一大共同挑战。未来的学习和培训系统必须让所有人具备核心人工智能素养，包括了解人工智能技术如何收集和操纵数据，以及有能力确保个人数据安全。归根结底，人工智能在本质上是跨行业部门的。有效的人工智能与教育政策规划离不开与各学科领域及部门的利益相关方进行的磋商协作。

教科文组织在促进与关键公私部门参与者就这些领域开展对话、掌握相关知识方面，一直发挥着牵头作用。各种活动和出版物已使各方进一步认识到人工智能给教育带来的大量

机遇和深刻影响，帮助教科文组织成员国着手应对各种复杂挑战。2019年，联合国的教育领域信息通信技术旗舰项目"移动学习周"探讨了人工智能与可持续发展之间的关系。

同年，教科文组织与中国政府在北京携手主办了"国际人工智能与教育大会"，主题是"规划人工智能时代的教育：引领与跨越"。大会探讨了人工智能对教育的全系统影响，通过并发布成果文件《北京共识》。这是有史以来第一份就如何充分利用人工智能技术实现"可持续发展目标4——2030年教育"提出建议的文件。《北京共识》明确建议，教科文组织应该提供相关指引和资源，以支持教育政策制定者的能力建设，并将人工智能技能纳入信息通信技术能力框架。更广泛地讲，该文件呼吁教科文组织纵观全局，与相关伙伴一起加强在人工智能与教育领域的国际合作。

《人工智能与教育：政策制定者指南》是在《北京共识》实施框架下编制的，旨在培养教育领域具备人工智能素养的政策制定者。本指南将充实教科文组织日益扩展的教育领域智力成果库，并旨在服务政策制定和教育领域的实践者与专业人士。本指南旨在形成对于人工智能给教育带来的机遇，及其对人工智能时代必备素养的启示的共同认知。本指南通过呈现一份效益风险评估，来激励各方发挥批判性思维，思考如何借助人工智能技术应对实现可持

续发展目标4过程中面临的挑战，以及如何发现和化解潜在风险。本指南汇集了多国的相关新政策，以及借助人工智能强化教学质量的实践典范。本指南也可作为制定人工智能与教育政策的指导手册，从规划以人为本的战略性目标，到制定关键的建设政策组成部分和实施策略，皆有助益。

因此，我希望本指南中提出的关键政策问题、分析的经验教训以及分享的以人为本的政策方针能够帮助各国政府和合作伙伴有效部署人工智能技术，促进教育和培训体系转型，使之服务于社会共同利益，打造一个包容的、可持续的未来。

Stefania Giannini
联合国教科文组织
教育助理总干事

致谢

本指南是人工智能领域与教育界专家共同努力的成果。

本指南的篇章框架构思源自以下两人：联合国教科文组织教育信息化与教育人工智能部门主管苗逢春和英国国家科技艺术基金会（NESTA）前首席教育研究员Wayne Holmes。他们也是本指南的主要作者。另两位作者是任职于北京师范大学的黄荣怀和张慧。

负责协调本指南审核与编制的团队成员包括教育信息化与教育人工智能部门的范胡华、Samuel Grimonprez、王舒童、Veronica Cucuiat以及Glen Hertelendy。

为本指南提供意见和同行评审的联合国教科文组织专家包括：政策与终身学习体系部门主任Borhene Chakroun、未来学习与创新部门主任Sobhi Tawil、未来学习与创新小组计划专家Keith Holmes、哈拉雷办事处计划专家Julia Heiss、教育信息技术研究所高级国家教育项目干事Natalia Amelina、政策与终身学习体系部门高级计划负责人Valtencir M. Mendes，以及性别平等部门计划专家Elspeth McOmish。

为本指南提供宝贵意见的外部专家包括：东南亚教育部长组织秘书处主任Ethel Agnes Pascua-Valenzuela、中国南方科技大学教授赵建华、南非约翰内斯堡大学研究助理Shafika Isaacs、智利国会图书馆公民教育计划负责人Werner Westermann，以及英国开放大学教育科技名誉教授Mike Sharples。

另外，需要感谢的还有Jenny Webster和Anna Mortreux，他们分别为本指南做了文本编辑校对以及版面设计。

联合国教科文组织在此感谢中国伟东集团提供的资金支持。这些资金支持也为联合国教科文组织成员国借助技术和人工智能实现可持续发展目标4提供了支持。

人工智能与教育：
政策制定者指南

目录

缩略语表	ii
1. 引言	**1**
2. 政策制定者关于人工智能的必备知识	**3**
2.1 人工智能的跨学科本质	3
2.2 人工智能底层技术简介	5
2.3 人工智能技术简介	8
2.4 人工智能潜在发展趋势："弱"人工智能与"强"人工智能	9
2.5 对人工智能潜能和局限性的批判性审视	10
2.6 人机协同智能	11
2.7 第四次工业革命和人工智能对就业的影响	12
3. 理解人工智能与教育：新兴实践与效益风险评估	**13**
3.1 如何借助人工智能提高教育质量？	14
3.2 如何挖掘人工智能的创新应用实现教育共同目标？	21
3.3 如何确保人工智能在教育中应用的伦理规范、包容性和公平性？	22
3.4 人类如何通过教育实现与人工智能共处及合作？	26
4. 利用人工智能实现可持续发展目标4所面临的挑战	**29**
4.1 数据伦理和算法偏见	29
4.2 性别平等的人工智能以及借助人工智能促进性别平等	30
4.3 监测、评估和研究人工智能在教育领域的应用	30
4.4 人工智能将对教师角色产生哪些影响？	31
4.5 人工智能将对学习者的能动性产生哪些影响？	32
5. 政策应对综述	**33**
5.1 政策应对方式	33
5.2 政策的共同关注领域	36
5.3 筹资、伙伴关系和国际合作	36
6. 政策建议	**37**
6.1 全系统愿景和战略优先事项	37
6.2 人工智能与教育政策的指导原则	38
6.3 跨学科规划和跨部门治理	39
6.4 确保公平、包容和合乎伦理地应用人工智能的政策和法规	40
6.5 在教育管理、教学、学习和评估中使用人工智能的总体规划	41
6.6 试验、监测和评估，建立实证库	44
6.7 促进本土化教育人工智能技术创新	46
参考资料	**47**
注释	**55**

缩略语表

AI	Artificial Intelligence	人工智能
AI TA	AI Teaching Assistant	人工智能助教
ANN	Artificial Neural Network	人工神经网络
AR	Augmented Reality	增强现实
AWE	Automated Writing Evaluation	作文自动评阅
CNN	Convolutional Neural Network	卷积神经网络
DBTS	Dialogue-Based Tutoring System	基于对话的导学系统
DigComp	European Digital Competence Framework	欧洲公民数字能力框架
DNN	Deep Neural Network	深度神经网络
EEG	Electroencephalography	脑电图
ELE	Exploratory Learning Environment	探索性学习环境
EMIS	Education Management Information System	教育管理信息系统
GAN	Generative Adversarial Network	生成式对抗网络
GDPR	General Data Protection Regulation	《通用数据保护条例》
GOFAI	Good-Old-Fashioned AI	有效的老式人工智能
ICT	Information and Communication Technology	信息通信技术
ILO	International Labour Organization	国际劳工组织
ITS	Intelligent Tutoring System	智能导学系统
IoT	Internet of Things	物联网
LMS	Learning Management System	学习管理系统
LNO	Learning Network Orchestrator	学习网络协调器
LSTM	Long Short-Term Memory	长短期记忆
ML	Machine Learning	机器学习
NLP	Natural Language Processing	自然语言处理
OER	Open Educational Resources	开放教育资源
RNN	Recurrent Neural Network	循环神经网络
SDG	Sustainable Development Goal	可持续发展目标
STEM	Science, Technology, Engineering, and Mathematics	科学、技术、工程和数学
TVET	Technical and Vocational Education and Training	职业技术教育与培训
UNESCO	United Nations Educational, Scientific, and Cultural Organization	联合国教育、科学及文化组织
VR	Virtual Reality	虚拟现实

1. 引言

在过去短短五年间，人工智能由于其突出成就和颠覆性潜力，已走出学术研究的象牙塔，成为公众讨论的前沿焦点，自然也受到了联合国专家的关注。在许多国家，人工智能在日常生活之中已经普及——从智能手机的个人助理到客服聊天机器人，从娱乐信息推荐到犯罪行为预测，从人脸识别到医疗诊断，人工智能应用无处不在。

尽管人工智能有可能帮助各方实现联合国可持续发展目标（SDGs），但是日新月异的技术不可避免地带来了种种风险和挑战。目前，相应的政策讨论与监管框架的变革速度已远远落后于技术的发展速度。而且，尽管人们对人工智能主要的顾虑还停留在其是否会强大到碾压人类主体，但是涉及人工智能的社会和伦理影响引发了人们更加迫在眉睫的担忧——例如，滥用个人数据，以及人工智能可能无法缓解，反而加剧现有的不平等现象。

尽管如此，人工智能已经进入教育领域。"智能""自适应"和"个性化"学习系统日益增多。私营企业纷纷开发这些系统，以供全球广大中小学和高校使用。人工智能教育应用市场应运而生，预计2024年将达到60亿美元的市场规模（Bhutani & Wadhwani，2018）。人工智能技术在教育领域的应用不可避免地带来了深层次问题——比如，教学内容与方式的改变、教师的角色演变以及人工智能的社会和伦理影响。同时，其应用带来了许多挑战，包括教育公平和机会均等方面的问题。各方也逐渐达成一个共识：人工智能技术在教育领域的部署应用或将重塑教学的根基。

新冠肺炎疫情期间，学校封闭带来的在线教学巨大转变，使得上述问题变得更加复杂。

因此，联合国教科文组织的这一份指南力求帮助政策制定者更好地了解人工智能给教学带来的可能性与影响，以期人工智能在教育领域的应用能够真正有助于实现可持续发展目标4："确保包容和公平的优质教育，让全民享有终身学习机会"。

我们也必须认识到，人工智能与教育之间的联系难免会产生参差不齐的结果，具体因各国社会经济环境而异。

总的来说，我们对人工智能技术的担忧在于，

> 如果我们继续盲目前进，那么可以预料，未来的不平等现象、经济崩坏和社会动荡皆会加剧，甚至在某些情况下政局不稳也会加剧，其中，在技术上处于劣势和被忽视的群体处境最糟。（Smith & Neupane，2018，p.12）

在人工智能与教育领域，这种担忧只多不少。如果想将人工智能用于帮助实现可持续发展目标4，还需要提供低成本的人工智能技术开发模式，确保低收入和中等收入国家的利益也被纳入关键讨论与决策之中，并且在这些国家与人工智能技术相对先进的国家之间搭建桥梁。本指南首先简要介绍人工智能的定义及运

作机制，为深入论述人工智能与教育之间的相互作用奠定基础。随后，本指南介绍当前人工智能在教育领域的多种应用，以及人工智能如何促进教育包容性和公平性、提高学习质量以及完善教育管理和教学法。该部分内容还探讨教育如何帮助公民发展人工智能时代生活和工作所需的技能。接下来，本指南详细介绍主要战略目标——利用人工智能给教育带来益处、化解相关风险，同时探讨实现这些目标所面临的挑战。最后，本指南提出一系列建议，旨在为人工智能与教育政策的全面愿景和行动方案提供参考。

2. 政策制定者关于人工智能的必备知识

2.1 人工智能的跨学科本质

"人工智能"一词最早出现在1956年美国常春藤盟校达特茅斯学院举办的一场研讨会上，用来描述"打造智能机器，尤其是智能计算机程序的科学和工程技术"（McCarthy et al., 2006, p.2）。[1] 此后数十年里，人工智能的发展断断续续，时而飞速进步，时而经历寒冬（Russell & Norvig, 2016）。

一直以来，人工智能的各种定义不断增多、延伸，而且往往牵涉到哲学问题，比如：什么构成了"智能"？机器是否真的能够获得"智力"？在此仅举一例。钟义信对人工智能的定义如下：

> 现代科技的一门分支学科，旨在探索人类智能的奥秘，同时最大限度地将人类智能移植到机器上，使机器能够像人类一样智能地执行功能。（Zhong, 2006, p.90）

如若务实地绕开这个长期争论，在本指南中，可将人工智能定义为一种被设计出来以人类能力与世界进行交互的计算机系统（Luckin et al., 2016）。而教科文组织世界科学知识与技术伦理委员会（COMEST）的定义更为详细，将人工智能描述为：

> 能够模仿人类智能某些功能的机器，具体功能包括感知、学习、推理、问题解决、语言互动，甚至创造性工作，等等。（COMEST, 2019）

目前，我们正在经历一场人工智能复兴，越来越多的行业部门开始应用机器学习技术。这种人工智能技术涉及人工智能系统对海量数据的分析。这是两大关键发展趋势共同作用的结果：一是数据呈指数级增长（据IBM统计，由于互联网和相关技术的普及，每天生成的数据量超过250亿亿个字节）；二是计算机处理能力呈指数级增长（根据摩尔定律，如今的手机与40年前的超级计算机一样强大）。大数据和强大的计算机均是机器学习技术取得成功的必要条件，因为这种技术的算法依赖对数百万个数据点的处理，而后者又离不开庞大的计算机处理能力。[2]

有意思的是，最常登上新闻头条的机器学习算法（"深度学习"和"神经网络"）本身已经存在40多年了。既然如此，为什么人工智能技术的瞩目成就及其颠覆性潜力直到近些年才显露出来？这是因为对人工智能算法的巧妙改进，以及"人工智能即服务"（见表1）更容易获取，而不是因为任何根本性的新范式。换言之，可以说目前我们身处于"实施期"（大规模实际应用时期）。

> 人工智能研究的很多艰深且抽象的工作已经完成……"实施期"（大规模实际应用时期）意味着，我们将最终看到这些成果在现实世界中的应用。（Lee, 2018, p.13）

如今，人工智能技术在现实世界的应用越来越普遍且具有颠覆性。众所周知的例子包括自动语言翻译、自动人脸识别（用于识别旅客和追踪罪犯），以及我们日常生活中的其他应用，比如无人驾驶汽车、智能手机和其他设备上的个人助理程序等。医疗行业是一个特别值得关注的领域。最近一个具有变革性的例子就是应用人工智能技术研发能够杀死多种抗药性细菌的新药（Trafton，2020）。第二个例子是应用人工智能技术来分析医学影像，包括分析可以及早显示畸形的胎儿脑部扫描[3]、帮助诊断糖尿病的视网膜扫描[4]，以及可以提高肿瘤检测水平的X光片[5]。这些例子均说明人工智能与人协作带来的重大潜在效益。

> 当把基于人工智能的成像技术与放射科医生结合起来后，我们发现，二者结合的表现优于人工智能或放射科医生单独的表现。（Michael Brady，牛津大学肿瘤学教授，引自《麻省理工学院技术评论和GE医疗》上发表的文章，MIT Technology Review and GE Healthcare，2019）

最近的这篇综述进一步表明，人工智能技术其实可以使医疗"更人性化"：

> 随着人工智能和自动化流程的发展，各种担忧随之而来，比如医疗服务在提供过程中会丧失人情味。然而，业界发现，事实正好相反：人工智能可以为超负荷工作的医疗专业人士拓展资源和能力，极大地完善了医疗服务流程。（MIT Technology Review and GE Healthcare，2019）

其他日益常见的人工智能应用包括：

■ **自动化新闻**

人工智能代理程序持续监测全球新闻媒体，为记者提取关键资讯，同时也自动撰写一些简单的新闻报道。

■ **人工智能法律服务**

例如，提供自动取证工具，研究判例法和成文法，以及开展法律尽职调查。

表1："人工智能即服务"（AI-AS-A-SERVICE）示例

科技公司	"人工智能即服务"平台	公司官方描述
阿里巴巴	阿里云 (Alibaba Cloud)	提供各种基于云的人工智能工具，满足企业、网站或应用的需求：https://www.alibabacloud.com
亚马逊	AWS	提供计算机视觉、语言、推荐和预测所需的预训练人工智能服务。能够大规模快速构建、训练和部署机器学习模型，或者构建为全部流行开源框架均可支持的定制模型：https://aws.amazon.com/machine-learning
百度	EasyDL	支持客户构建无须编写代码的优质定制人工智能模型：https://ai.baidu.com/easydl
谷歌	TensorFlow	端到端的机器学习开源平台，提供涵盖工具、资料库和社群资源的生态系统，使研究人员能够共享最先进的机器学习技术，使开发者能够轻易构建和部署机器学习赋能的应用程序：https://www.tensorflow.org
IBM	Watson	让用户能够对任何主机平台上的数据使用人工智能工具和应用程序：https://www.ibm.com/watson
微软	Azure	提供100多项构建、部署和管理应用程序的服务：https://azure.microsoft.com
腾讯	众创空间 (WeStart)	汇集各种人工智能能力、专业人才和行业资源，支持初创企业开设或改进。连通行业伙伴，传播人工智能技术，使之广泛应用于多个行业部门：https://westart.tencent.com/ai

如今，世界上几乎所有的科技巨头以及许多其他科技公司都提供精深的"人工智能即服务"平台，其中部分是开源平台。这些平台提供了各种人工智能基础模块可供开发者使用，而开发者无须从零开始编写人工智能算法。

- **人工智能天气预报**

  挖掘和自动分析大量历史气象数据，在此基础上预测天气。

- **人工智能诈骗检测**

  自动监测信用卡使用情况，从中发现规律和异常情况（即潜在欺诈性交易）。

- **人工智能驱动的商业流程**

  例如，自动化生产制造、市场分析、股票交易和投资组合管理。

- **智慧城市**

  采用人工智能技术和物联网（IoT）来提高城市中人们的生活与工作效率和可持续性。

- **人工智能机器人**

  采用机器视觉、强化学习等人工智能技术与世界进行交互的实体机器。

上述例子对社会具有显著的积极影响力，不过，我们也不应忽视人工智能的其他有争议的应用。以下为两个例子：

- **自主作战**

  无须人为干预即可运行的武器、无人机和其他军事装备。

- **深伪（deep-fakes）**

  自动生成假新闻，替换视频中的人物面孔，让人误以为政客和名人说了或做了他们从未说过或做过的事情。

此外，在评估一些人工智能技术公司和媒体的许多夸大言论时，我们也应当谨慎。尽管新闻头条宣称，如今的人工智能工具在执行某些任务时表现"优于"人类，比如阅读文本和识别图像中的物体等，但现实是，这些成功只在有限的情形下成立——例如，当文本篇幅不大且包含足够的必要信息，从而无须人为推断的时候。目前的人工智能技术也有可能极不稳定。例如，若是数据经过细微篡改，或者图像上叠加了一些随机噪点，那么人工智能工具的表现就会一塌糊涂（Marcus & Davis，2019）。[6]

2.2 人工智能底层技术简介

人工智能的每种应用都依赖一系列复杂的底层实现技术。这就要求人工智能工程师受过高等数学、统计和其他数据科学以及编程等方面的训练。这些技术太过专业，因此无法在此深入探讨。[7] 删繁就简，我们先来简要地介绍一些核心人工智能底层技术，然后介绍一些典型人工智能技术应用。

传统人工智能

比较早期的"传统人工智能"（又称"符号人工智能""基于规则的人工智能"或"有效的老式人工智能"，即"GOFAI"）涉及编写"若……则……"（IF…THEN…）语句序列以及其他条件逻辑规则等，计算机需要采取相应步骤以完成任务。过去几十年里，随着在医疗诊断、信用评级和生产制造等领域的广泛应用，此类基于规则的人工智能"专家系统"发展起来。这种"专家系统"建立在一种名为"知识工程"的方法上。"知识工程"涉及解析和模拟某一具体领域的专家知识——这是一项资源密集型任务，但并非没有复杂的运算。典型的专家系统包含数百条规则，但是通常其逻辑尚有迹可循。然而，随着各种规则之间的相互作用成倍增加，一旦想要修改或改进，那么对于专家系统来说是颇具挑战性的。

机器学习

从自然语言处理到人脸识别、无人驾驶汽车……，许多新近的人工智能技术的进步都离不开基于机器学习的计算方法。机器学习不是运用规则，而是分析大量数据，从中发现规律，在此基础上构建模型，用来预测未来数值。在这个意义上，与其说算法是预先设定好的，不如说算法是在"学习"。

机器学习方法主要有三种：有监督学习、无监督学习和强化学习。有监督学习涉及已有标记的数据，比如经人为标记的成千上万张人物照片。有监督学习将数据与标记关联起来，构建一个可用于类似数据的模型，比如，自动识别新照片中的人物。在无监督学习中，人工智能工具使用更多以至海量的数据，不过这些数据没有经过归类或标记。无监督学习的目的在于发现数据中的隐藏规律，即可用于对新数据进行分类的类簇（cluster）。例如，无监督学习方法可以寻找成千上万个例子中包含的规律，从中自动识别手写字母和数字。

不论在有监督学习还是无监督学习中，数据生成的模型都是固定的，一旦数据有变，就只好再次进行分析。然而，第三种机器学习方法——强化学习，涉及根据反馈不断完善模型，也即是说，这个意义上的机器学习是指学习在持续进行中。在一些原始数据基础上，人工智能工具可以生成一个模型，然后根据这个模型被评为"正确"或"错误"，得到相应的奖励或处罚。人工智能工具利用这个强化机制来更新模型，然后再次尝试，进而在一段时间

内迭代发展（学习和演进）。例如，如果一辆无人驾驶汽车规避了一次碰撞，那么作为幕后功臣的模型会得到奖励（强化），加强自身未来规避类似碰撞的能力。

如今，机器学习非常普遍，导致它有时被视为人工智能的同义词，但其实它只是人工智能的一个子集（见图1）。事实上，仍有许多人工智能应用并不采用机器学习方法，或者说，至少这些应用背后几乎总有某种有效的老式人工智能（基于规则或符号的人工智能）的身影。举个例子，许多常见的聊天机器人应用程序是预先设定好的，编入了人为定义的规则，预设好如何回复预期问题。其实，这与比较早期的专家系统一样：

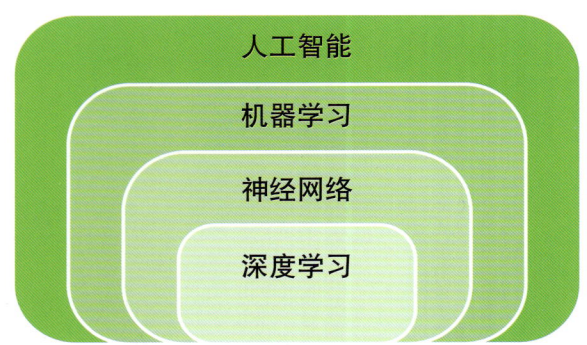

图1：人工智能、机器学习、神经网络与深度学习之间的关系

> 大家如今见到的几乎每种人工智能产品都需要人类专家直接输入内容。这些内容可能是来自语言学家和语音学家（在人工智能采用自然语言处理的情况下）、医师（在人工智能应用于医学领域的情况下）或道路交通与驾驶专家（在人工智能助力无人驾驶汽车的情况下）等的专业知识。若无有效的老式人工智能要素协助，机器学习无法创建完整的人工智能。（Säuberlich & Nikolić，2018）

此外，应该认识到的重要一点是，机器学习既不是真的像人类一样学习，也不是独立地学习。相反，机器学习完全依赖人：是人在选

取、清理和标记数据；是人在设计和训练人工智能算法；也是人在管理、解读和评判输出结果。例如，有报道称，某种突破性的识物工具能够识别图片数据库中猫的图像，但事实上，这个系统仅可将看起来有一定相似度的对象归为一类，需要人来识别这组对象是猫。同理，无人驾驶汽车上采用的机器学习方法完全依赖人为标记好的千百万张街景图片。在很大程度上，硅谷将这项标记工作外包给了全球各地的人（例如，采用亚马逊数据众包平台Turk[8]）和印度、肯尼亚、菲律宾以及乌克兰等国的企业[9]。这些"新经济"工人的工作是手动跟踪和标记原型无人驾驶汽车捕捉到的视频中每帧画面里的对象（比如车辆、路标、行人等），即机器学习算法下一步会分析的数据。

人工神经网络

人工神经网络是一种灵感源自生物神经网络（即动物脑）结构的人工智能技术。人工神经网络包含三类相互连通的人工神经元层：一个输入层、一个或多个隐藏的中间计算层以及一个产生结果的输出层。在机器学习过程中，赋予神经元连接的权重会在强化学习和"反向传播"环节中有所调整，方便人工神经网络计算新数据的输出值。人工神经网络应用的一个著名例子是谷歌的阿尔法围棋机器人（AlphaGo）。2016年，AlphaGo打败了世界围棋冠军李世石。

隐藏的中间计算层是影响人工神经网络能力大小的关键所在，但也是一个重大约束因素。人们通常没有办法质询深度神经网络，从而无法判定它是如何求解的。如此，决策背后的理由是不可知的。许多企业正在研究如何揭开和检视这些决策背后的机制（Burt，2019），使用户能够明白为什么一个给定算法会得出特定的决策。了解这种背后决策机制十分重要，尤其当人工神经网络和其他机器学习方法被用于会对人类产生重大影响的决策时，比如计算某人留在监狱中的时长。然而，这依然会使问题复杂化——"生成有关于人工智能决策的更多信息，或许会创造切实效益，但也会带来新的风险"（Burt，2019）。

深度学习

深度学习指包含多个中间计算层的人工神经网络方法。正是由于深度学习方法，近年来许多令人瞩目的人工智能应用才成为可能（比如，自然语言处理、语音识别、计算机视觉、影像创作、药物研发、基因组学等）。深度学习的新兴模型包括："深度神经网络"（DNN）——找到有效的数学运算法则，将一项输入变成所需的输出；"循环神经网络"（RNN）——使数据可以流向任意方向，能够处理输入序列，可应用于语言建模等领域；"卷积神经网络"（CNN）——用于处理来自多数组的数据，比如使用三张二维图片形成三维计算机视觉。

最后，值得一提的是，许多近年来的人工智能技术进步（特别是围绕图像处理的方法）都是通过"生成式对抗网络"（GAN）实现的。在生成式对抗网络中，两个深度神经网络彼此竞争——"生成式网络"创建可能的输出，而"判别式网络"负责评价这些输出。由此产生的结果用于下一次迭代。例如，DeepMind公司的阿尔法元（AlphaZero）采用生成式对抗网络方法来学习如何玩赢若干棋盘游戏（Dong et al., 2017）。另外，一种接受过照片训练的生成式对抗网络已经可以生成看似真人但并不存在的人物图像。[10] 这种方法的其他应用目前尚在研究中。

2.3 人工智能技术简介

上述所有底层技术共同催生了一系列人工智能技术应用。这些科技越来越多地以"人工智能即服务"的形式呈现出来（参见表1），也正被广泛运用于前文提及的大多数应用领域。具体人工智能技术（详见表2）列举如下。

- **自然语言处理**

  使用人工智能自动解读文本，包括进行语义分析（如在法律服务和翻译中的应用）和生成文本（如在自动化新闻中的应用）。

- **语音识别**

  将自然语言处理技术应用到口语上，包括智能手机语音功能、人工智能个人助理和银行服务中的对话机器人等。

- **图像识别和处理**

  将人工智能用于人脸识别（如电子护照）、手写识别（如自动邮政分拣）、图像处理（如深伪技术）以及无人驾驶汽车等。

- **自主代理**

  将人工智能应用于计算机游戏角色、恶意软件机器人、虚拟伴侣、智能机器人和自主作战等。

- **情绪检测**

  将人工智能用于分析文本、行为和面孔中的情绪。

- **用于预测的数据挖掘**

  将人工智能应用于医疗诊断、天气预报、业务预测、智慧城市、财务预测和诈骗检测等。

- **人工创作**

  将人工智能应用于可以创作新照片、新音乐、其他新艺术作品或新故事的系统。

表2：人工智能技术

人工智能技术	详情	主要底层技术	发展情况	示例
自然语言处理	人工智能自动生成文本（如在自动化新闻中）和解释文本，包括进行语义分析（如在法律服务和翻译中）。	机器学习（特别是深度学习）、回归分析和K均值算法。	自然语言处理、语音识别和图像识别均已达到90%以上的精确度。但是，有研究人员认为，即使有更多数据和更快的处理器，在新的人工智能范式发展起来之前，这项技术也不会有多大改进。	Otter[11]
语音识别	将自然语言处理技术应用到口语上，包括智能手机语音功能、人工智能个人助理和银行服务中的对话机器人等。	机器学习，特别是"长短期记忆"（LSTM）的深度学习循环神经网络方法。		阿里云[12]
图像识别和处理	包括人脸识别（如电子护照）、手写识别（如自动邮政分拣）、图像处理（如深伪技术）以及无人驾驶汽车等。	机器学习，特别是深度学习卷积神经网络。		Google Lens[13]
自主代理	具体应用包括计算机游戏角色、恶意软件机器人、虚拟伴侣、智能机器人和自主作战等。	有效的老式人工智能和机器学习（比如，深度学习自组织神经网络、进化式学习和强化学习等）。	研究工作聚焦于涌现智能、协作活动、情境性和具身化等受相对简单生物生命形式启发的特性。	Woebot[14]

续表

人工智能技术	详情	主要底层技术	发展情况	示例
情绪检测	包括文本、行为和面部情绪分析。	贝叶斯网络和机器学习，特别是深度学习。	全球有多种产品正在研发中，但这些技术的应用通常颇受争议。	Affectiva[15]
用于预测的数据挖掘	包括财务预测、诈骗检测、医疗诊断、天气预报、业务预测和智慧城市等。	机器学习（特别是有监督学习和深度学习）、贝叶斯网络和支持向量机。	数据挖掘应用程序正在呈指数级增长，从预测购买行为到解读含噪脑电图（EEG）信号，应用颇广。	科研项目[16]
人工创作	包括可以创作新照片、新音乐、其他新艺术作品或新故事的系统。	生成式对抗网络，它是一种涉及两个神经网络彼此对抗竞争的深度学习技术。 自回归语言模型，采用深度学习算法来生成"类人"的文本。	生成式对抗网络是一项前沿人工智能技术，其未来应用正在一点一点显露出来。 一种名为GPT-3的自回归语言模型可以生成令人惊叹的"类人"文本。但是，在表象之下，这个系统并不理解它所输出的文本。[17]	"此人不存在"网站[10] GPT-3（Brown et al., 2020）

2.4 人工智能潜在发展趋势："弱"人工智能与"强"人工智能

虽然人工智能科学家一开始是想要打造类人的通用人工智能（AGI），即"强人工智能"，但第2.1节中的每种应用其实都是专用人工智能（ANI），也称"弱人工智能"（Searle，1980）。每种专用人工智能应用涉及的领域均受到严格的约束和限制，而且无法直接应用于其他领域。例如，用于天气预报的人工智能无法预测股市波动，而用于驾驶汽车的人工智能无法诊断肿瘤。尽管这些应用程序不是人类意义上的"智能"，但是它们在效率和耐力上的表现往往胜人一筹，而且能够识别海量数据中存在的显著规律。

这些应用固然取得了一些引人瞩目的成就，但重要的是我们应该认识到，人工智能技术仍然处于起步阶段。例如，与我们的智能手机个人助理或其他智能家居设备进行真正的对话是不可能的事情，人工智能只会回应具体的命令，而且回答经常是错误的。也即是说，虽然人工智能在某些功能（如找出数据中的规律）方面的表现超越了人类专家，但在其他方面（如进行深度对话），人工智能的表现甚至不如两岁孩童。[18]此外，全球范围内种种迹象表明，与夸张预测相反，对人工智能技术的投资或许正在"降温"——虽然不至于迎来又一次人工智能凛冬，但是其许诺的潜力总是显得远在天边，可望而不可即（Lucas，2018）。甚至有人表示，人工智能技术的进步将趋于平缓（Marcus & Davis，2019）。譬如，无人驾驶汽车安全穿梭于巴勒莫或德里街道的场景是几十年以后才会发生的事情，图像识别应用程序仍然易受愚弄（Mitchell，2019）。

9

2.5 对人工智能潜能和局限性的批判性审视

从三类基本成就来审视人工智能，或许会有助益：

- 代表"真实、迅速的技术进步"的人工智能技术，主要专注于"感知能力"，包括基于扫描的医疗诊断、语音转文本以及深伪技术等（Narayanan，2019）；

- "日趋完善"的人工智能技术，主要围绕自动判断，包括检测垃圾邮件及仇恨言论，和内容推荐（Narayanan，2019）；

- "在根本上备受质疑"的人工智能技术，主要集中在预测社会结果，包括刑事累犯和工作绩效（Narayanan，2019）。

关键在于，虽然深度神经网络已经训练有素，能够完成一些不可思议的任务，但是有很多事情是它们无法做到的（Marcus & Davis，2019）。尤其是它们没有做真正智能的事情。其实，

> 这些技术只是从统计数据中归纳出规律。这些规律或许更加隐晦、更加间接，并且比历史方法更加自动化，能够反映更加复杂的统计现象。但是它们仍然只是数学的化身，而不是有智力的实体，不论这些结果多么令人惊叹。**（Leetaru，2018）**

此外，多项研究已经表明，若是机器学习方法涉及成千上万个数据变量或功能，因而需要大量资源和能源来进行计算，那么与仅使用少数功能且能耗少得多的简单线性回归方法相比，这些复杂方法或许好不了多少（Narayanan，2019）。

尽管如此，与以往的技术革命相比，如今人工智能技术的突出之处在于它的发展速度和普遍性：速度快到几乎每天都会涌现新技术和转型方式，并且几乎影响着现代生活的每个方面。在这里仅举一个令人瞩目的例子：研究人员已经开发出使用三个深度学习网络、表现胜过人类专家的乳腺癌预测人工智能系统（McKinney et al.，2020）。

无论如何，有证据表明，在许多情况下机器学习取得的成就被略微夸大了，而我们见到的快速进步或许即将达到上限。例如，纵然机器学习技术取得了一些非凡成就，但认为机器学习如今能与人一样准确识别图片中物体的说法存在两个局限性：一是这些技术依赖系统访问千百万张已标记的图片，而一个小孩子只需看几张图片即可达到同样的准确度；二是对准确度的解释太过宽松，在某个最广为人知的机器视觉竞赛中，只要人工智能工具的五条建议中有一条是正确的，即被判定为成功（Mitchell，2019）。再者，如前文所述，目前推动重大人工智能技术进步的全部底层技术（比如，深度神经网络和机器学习）皆是早在几十年前就已经发展起来的。换言之，虽然我们继续见到现有技术和新兴应用发生迭代改进，但我们仍然在等待下一个重大突破。

有专家认为，只有当"传统人工智能"或"有效的老式人工智能"的符号或基于规则的底层技术与数据驱动型方法结合起来时，才会发生这样的重大突破。其实，这种重大突破已经发生了，以无人驾驶汽车为例：

> 有一些事情需要智能代理来做，毕竟深度学习技术目前并不是很擅长这些。譬如，它不是很擅长抽象推断，也不是

很擅长处理不曾见过的、信息掌握相对不完整的情况。因此，我们需要用其他工具来补充深度学习技术，……在我看来，我们需要结合使用符号处理技术（即基于规则的人工智能）和深度学习技术。太长时间以来，这两种技术一直被割裂地看待。（Marcus，接受Ford的访谈，2018，p.318）

2.6 人机协同智能

人工智能技术诞生于对人类思维过程的模拟和机械化尝试（Turing，1950），并且自诞生以来就处于与后者不稳定的关系当中。有意思的是，尽管我们经常读到有关人工智能技术取得卓著成就的报道（从在游戏中打败人类，到比人类更加准确地读取视网膜扫描结果），但当前，人工智能技术方法的局限性也变得日益明显（Mitchell，2019）。事实上，虽然人工智能已经很擅长那些对人类来说具有挑战性的工作流程（比如，规律识别和统计推理），但是在其他对人类来说相对容易的流程上（比如，自主学习、常识和价值判断），它仍然很弱。这就是莫拉维克悖论（Moravec's paradox）：

> 要让计算机在智力测验或下棋方面表现出成人水平，是相对容易的事，但要赋予它们一岁幼儿的感知能力和运动能力，却是不易或不可能的事。（**Moravec，1988，p.15**）

此外，如前文所指出的，人类对于人工智能技术成功的关键作用通常被忽视了。大多数时候，人工智能需要人来执行各种任务：建构问题，阐述问题，选取、清理和标记数据，设计或选择算法，决定组合方案，根据数值得出结论或做出判断……，不胜枚举。相应地，虽然许多任务有望实现自动化，但人类仍然需要发挥一些关键作用，而我们要为此做好准备（Holmes et al., 2019）。

事实上，人类与人工智能之间的关系越来越复杂微妙，导致有人呼吁重新构建或重新命名人工智能，将其称为"增强智能"（augmented intelligence）（Zheng et al., 2017）。

例如，虽然计算机如今可以在下棋上打败人类，但是人机协同似乎更有成效——比人或计算机独自工作更佳。在竞赛中，业余棋手借助人工智能已经能够打败计算机或大师级棋手（Brynjolfsson & McAfee，2014）。这个做法涉及使用人工智能技术来增强，而非凌驾于人类能力。向增强智能的转变使得各方注重开发能够补充和扩展人类认知的人工智能技术，揭示了人类与人工智能更加有效地协同的途径，引发了应该如何在人机之间进行任务分工的思考，而且指向了一个有吸引力的可能性——通过审慎地结合使用人工智能与群体智能，人们或许能够应对当今世界面临的各种问题（Mulgan，2018）。

2.7 第四次工业革命和人工智能对就业的影响

人们认为，人工智能是第四次工业革命（"工业4.0"）的一个关键使能因素。

> 在我们现今面临的多种多样而又令人着迷的挑战中，最迫切、最重大的挑战是如何认识和影响新一轮科技革命，这涉及颇多，其复杂程度不亚于人类大变革。（Schwab，2017，p.1）

工业4.0技术包括3D打印、无人驾驶汽车、生物技术、纳米技术、量子计算、机器人学以及物联网等。这些技术全都是由人工智能支撑的。事实上，在现代工作场所，人工智能已经无处不在——从制造业到银行业、建筑业、交通运输行业等等，其影响甚广，需要全系统策应。不可避免地，失业会增加，而新的职业也会增加。一个最近的全球性估计表明，到2030年，30%的工作可以实现自动化。届时，全球多达3.75亿名工作者可能面临失业。不论是蓝领工人还是白领员工，都会受到影响，而且首当其冲的并不一定是蓝领工人。

> 那些需要逻辑和代数等新近演化技能的工种是容易被人工智能复制和取代的。这些大多是中等收入的工作。相反，那些依赖运动和感知等深度演进技能的工作，则不能够轻易被人工智能复制和取代。这类工作通常收入较低。因此，人工智能正在掏空中等收入工作，而保留了大量低收入工作。（Joshi，2017，©卫报新闻传媒有限公司版权所有）

然而，与此同时，人工智能和其他前沿技术正在增加新的高技能工作——需要独特的创造和分析能力以及人际互动的工作。简而言之，许多工人的工作可能会消失，并且这些群体需要发展新的技能——提升技能（upskilling）或再训技能（reskilling），使自己能够胜任人工智能带来的新职业。教育部门和培训机构等需要预期这种变化，使如今的工作者和新一代工作者均具备必要的技术性和社交性工作技能，从而平稳过渡到一个被人工智能主导的世界，同时确保社会可持续发展。

其实，全球各国政府部门已经纷纷开始制定战略计划来应对未来人工智能技术。以美国为例，《国家人工智能研究与发展战略计划》（National Science and Technology Council，2016）倡导在各种人工智能技术理论和实践上进行长期投入和研究。这些人工智能技术具体包括数据分析、人工智能感知、对人工智能理论缺陷的理解、通用人工智能、可扩展人工智能、人工智能驱动的类人机器人、能感知人类的人工智能（human-aware AI）以及人类机能增强（human augmentation）等。2017年，中国政府发布《新一代人工智能发展规划》。同样地，这份规划侧重一系列理论性和实操性的人工智能技术，包括大数据智能、跨媒体智能、人机混合增强智能、群体智能、自主智能、高级机器学习、类脑智能以及量子智能等。更重要的是，两国的人工智能战略规划均强调人和人工智能系统无缝交互的潜力，而且二者均旨在实现人工智能的潜在社会经济效益，同时尽量减少其负面影响。

3. 理解人工智能与教育：新兴实践与效益风险评估

人工智能在教育领域的应用可以追溯至20世纪70年代。当时，研究人员感兴趣的是见证计算机如何取代一对一人工辅导——被视为最富有成效但大多数人难以获得的教学方法（Bloom，1984）。早期研究工作采用基于规则的人工智能技术来为每位学员自动调整或定制学习（Carbonell，1970；Self，1974）。从一开始，人工智能在教育领域的应用便朝着多个方向发展，首先是面向学生的人工智能（为支持学习和测评而设计），然后纳入面向教师的人工智能（为支持授课而设计），还有面向系统的人工智能（为支持教育机构管理而设计）（Baker et al., 2019）。实际上，人工智能与教育之间的相互影响不止如此，除了课堂上的人工智能应用（即"使用人工智能学习"），教师还会教授人工智能技术相关知识（即"学习人工智能"）以及帮助公民准备好应对人工智能时代的生存技能（即"为了人机协同而学习"）。同时，人工智能在教育领域的应用让人关注教学法、组织结构、易获取性、伦理规范、公平性和可持续性等问题——要想使一项工作实现自动化，人们首先需要全面透彻地了解它。

再者，想要人工智能支持教育可持续发展的潜力得以充分实现，还需要识别和利用人工智能工具的全部可能效益，同时承认并化解相应的风险。因此，相关方还需要持续审视教育组织方式，这或许意味着从根本上重塑教育的核心基础，以实现可持续发展目标4这一核心目的。我们还需要了解人工智能在教育领域的应用会有怎样的成效：人工智能可以带来哪些切实效益？我们如何确保人工智能满足实际需要，而不仅仅是风靡一时的最新教育科技风潮？我们应该允许人工智能做些什么？

为了充分释放机遇、化解潜在风险，我们需要针对下列关键政策问题，进行全系统响应：

1. 如何借助人工智能提升教育质量？
2. 如何确保人工智能在教育中应用的伦理规范、包容性和公平性？
3. 教育如何帮助人类做好与人工智能共生协作的准备？

为帮助教育体系应对这些复杂挑战，联合国教科文组织与中国政府携手在北京主办了"国际人工智能与教育大会"（2019），主题是"规划人工智能时代的教育：引领与跨越"。这届大会的参与者包括50多位政府部长和副部长，以及来自100多个教科文组织成员国、联合国机构、学术机构、民间社会组织和私营部门组织的大约500名国际代表。参会人员探讨了在"可持续发展目标4：2030年教育和2030年以后未来教育"背景下，人工智能的全系统影响。这次大会的关键成果是《北京共识——人工智能与教育》（UNESCO，2019a）。该文件就上述三大政策问题相关的关键议题和政策建议达成共识。《北京共识》中提出的主要建议已被穿插引用在本指南之中。

本章余下内容将论述影响教育领域人工智能应用的主要趋势和问题，以及效益风险分析及其对政策应对的启示。

3.1 如何借助人工智能提高教育质量？

过去十年里，使用人工智能工具支持或加强学习的做法呈指数级增长（Holmes et al., 2019）。而在新冠肺炎疫情中的学校封闭期间，这一趋势有增无减。不过，人工智能在提高学习效果方面的表现如何？人工智能是否有助于学习科学工作者和从业人员深入探析有效学习背后的机制？关于这两个问题，我们掌握的证据仍然稀少（Zawacki-Richter et al., 2019）。

> **在认为人工智能在教育领域的应用具有革命性潜力的说法中，有许多都建立在猜想、推测和乐观主义的基础上。（Nemorin，2021）**

而且，我们尚未探索人工智能在其他应用方面的潜力，包括追踪不同环境下的学习成果、评估学习能力（尤其是在非正规和非正式环境中习得的能力）等方面。

在其他文献中，教育人工智能应用被分为三大类别：面向系统的、面向学生的以及面向教师的（Baker et al., 2019）。然而，对政策制定者来说，我们按四种需要将新兴和潜在的人工智能应用分为四大类别：(i)支持教育管理和供给；(ii)支持学习和测评；(iii)赋能教师并提高教学水平；(iv)支持终身学习。针对每个类别，我们将给出一些典型例子。有一点很重要，那就是承认这些类别之间存在固有的相互关联，而且人工智能在教育领域的应用潜能可能不只是满足单方面的需要，例如，教辅应用程序在设计上可以同时为师生提供支持。另外，我们还提议，人工智能技术在教育领域的应用规划和政策应该基于本土的当前和长期需要，而不是基于整个市场。同时，应该以效益风险分析为依据，然后方可大规模地应用这些技术。尤其值得一提的是，虽然支持者指出，人工智能为疫情期间学校封闭导致的向在线学习形式转变的问题提供了一个现成的解决方案，但是目前鲜有证据表明这个做法是适当或有效的。

利用人工智能支持教育管理和教育供给

人工智能技术正越来越多地被应用于促进教育管理和教育供给。这些面向系统的应用并不直接支持教学，而是旨在实现学校行政管理各个方面的自动化——建立在教育管理信息系统的基础之上（Villanueva，2003），涵盖招生、排课、考勤、作业监测以及校务监管等。有时，名为"学习分析"的数据挖掘方法（du Boulay et al., 2018）被用来分析学习管理系统生成的大数据，为教师和学校管理人员提供相关信息，偶尔也向学生提供指导。例如，有的学习分析工具预测哪些学生有不及格的风险。这种分析的输出通常以虚拟"仪表盘"报告的形式呈现（Verbert et al., 2013），用来辅助数据驱动型决策过程（James et al., 2008；Marsh et al., 2006）。从教育体系得来的大数据也有助于教育供给方面的政策制定。

> **公立教育机构越来越多地使用大数据来创建数字化、交互式的数据可视化工具，在此基础上为政策制定者提供教育体系的最新信息。（Giest，2017，p.377）**

例如，若是为难民而设的学习管理系统，其数据输出可能有助于确定提供教育机会和支持的最优方式。事实也表明，根据对学习者个性化需要和学习水平的分析，人工智能能够有效管理不同平台的学习内容。譬如，一个项目的目标是管理成千上万个开放教育资源，使之更容易被全体学习者获取（Kreitmayer et al.,

2018）。

然而，要使任何基于数据的分析工具有用、使其结论值得信赖且兼顾公平，原始数据及其代理指标必须准确无误、不偏不倚、不存在糟糕假设，同时采用的计算方法也必须适当且稳健。这些要求看似简单，但经常没有得到严格遵守（Holmes et al.，2019）。无论如何，总有人工智能技术公司收集大量学生互动数据，只是为了使用机器学习方法"寻找规律"。这么做的目的是训练软件识别哪些孩子感到困惑不解或枯燥乏味，在此基础上提高学生的学习水平，使他们更加投入课堂。尽管如此，这一做法颇受争议。人们将这种数据采集称为"边缘型心理健康评估，……助长了将孩子们看作需要治疗的潜在病人的风气"（Herold，2018）。

在某些情况下，这类人工智能工具也被用于监测学生在课堂上的注意力（Connor，2018），也有其他工具被用于跟踪学生的出勤情况（Harwell，2019）和预测教师的授课表现，这产生了令人担忧的后果（O'Neil，2017）。上述这些面向系统的应用存在的问题应该被纳入关于人工智能与教育的更广泛讨论。

有前景的案例

■ **教育聊天机器人**：聊天机器人是利用云服务和人工智能方法与人进行模拟对话的在线计算机程序。人类用户键入或说出一个问题，聊天机器人给予回答，提供相关信息或执行某项简单任务。聊天机器人有两个复杂层次。大多数聊天机器人运用规则和关键词来选取预设脚本的回答，而虚拟助手聊天机器人（比如Siri[19]、Alexa[20]、DuerOS[21]和小艺[22]）采用自然语言处理和机器学习方法来生成独特的回答。在教育领域，聊天机器人正被应用于越来越多的应用程序之中。其具体用途包括：促进招生工作（比如，"贵校有哪些计算类课程？"）；提供"7×24"全天候信息服务（比如，"我应该哪天交作业？"）；直接支持学习（作为基于对话的导学系统的一部分或采用基于对话的导学系统的方法，参见第17页，使学生投入口语对话或提供自动反馈）。教育聊天机器人有Ada[23]和Deakin Genie[24]等。

■ OU Analyse[25]是英国开放大学设计的一款人工智能应用程序，用来预测学生成绩，并识别存在不及格风险的学生。具体手段是分析该校教育管理信息系统提供的大数据。这些预测结果可供课程指导老师或支持团队使用，并且采用易于获取的仪表盘报告形式，方便使用者考虑最适当的支持。其总体目标是帮助有困难的学生完成课程学习（Herodotou et al.，2017）。

■ "Swift"是印度在线学习服务机构Swift eLearning Services开发的一套方法，可以使教育管理信息系统利用在线学习模块中生成的数据。[26]从学习者互动中收集而来的数据可以提供宝贵洞见，帮助了解学习者何时表现不佳或优异以及背后的原因。分析这个数据有助于根据学习者偏好量身打造个性化的学习路径。

> **《北京共识——人工智能与教育》**
>
> 10. 意识到应用数据变革基于实证的政策规划方面的突破。考虑整合或开发合适的人工智能技术和工具对教育管理信息系统进行升级换代，以加强数据收集和处理，使教育的管理和供给更加公平、包容、开放和个性化。
>
> 11. 还考虑在不同学习机构和学习场景中引入能够通过运用人工智能实现的新的教育和培训供给模式，以便服务于学生、教职人员、家长和社区等不同行为者。
>
> （UNESCO，2019a，p.5）

■ 美国的ALP[27]系统提供后端人工智能功能来支持标准教育技术。该系统分析用户数据，将其聚合，为每名学生的互动、偏好和成绩创建心理测评档案。

- UniTime[28]是一个以美国为主，另有四大洲的组织参与的项目。该项目是一个综合人工智能赋能教育调度系统，可以为高校课程制定时间表、管理上课时间和教室变更，并提供学生的个人课程表。

利用人工智能支持学习和测评

以面向学生为主的人工智能技术应用最受研究人员、开发者、教育工作者和政策制定者的关注。这些应用被视为"第四次教育革命"的一部分（Seldon & Abidoye，2018），旨在为世界各地的每位学习者提供优质、个性化和无处不在的终身学习（正规、非正规以及非正式）机会。人工智能也有望催生新的测评方法，比如人工智能赋能的自适应测评和持续测评等（Luckin，2017）。不过，有一点很重要，那就是一开始即承认，利用人工智能支持学习和测评也会带来各种各样的问题，而这些问题尚未得到妥善解决。问题具体包括对教学法的担忧，缺乏有力证据表明人工智能技术的效果和对教师角色的潜在影响，还有更加广泛的伦理问题（Holmes et al.，2018b，2019）。

智能导学系统

出于若干原因，在这一节的论述中，我们首先来介绍一些"智能导学系统"（ITS）工具。在所有人工智能教育应用程序中，智能导学系统既具有最长的研究历史（超过40年），也是教育领域最常见的人工智能应用程序，同时它的学生受众人数也是最多的。此外，多年来，这些系统吸引了最高水平的投资和关注度，备受世界上领先科技公司的青睐，而且，全球各地的教育体系都已采用这些系统，学生用户群体规模以百万计。

总的来说，智能导学系统的工作机制是：围绕数学和物理等结构化科目中的主题，为每位学生提供个性化的分步教程。系统会借鉴相关科目和认知科学的专家知识，通过各种学习资料和活动决定学生的最优学习路径，同时针对个别学生的误解和成就做出回应。有时，这种方法也被用于学习管理系统中，比如Moodle[29]和Open edX[30]等，以及可汗学院[31]等平台。

在学生参与学习活动的过程中，系统会采用知识追踪[32]和机器学习方法，根据个别学生的优劣势自动调整难易水平，并给予提示或指导——一切只为确保学生能够高效地学习相应主题。有的智能导学系统也捕捉和分析学生情绪状态的相关数据，包括通过监测学生的目光来推断他们的专注水平。

虽然这看起来颇有吸引力，但是需要认识到，智能导学系统中所体现的假设和典型的指令式知识传播教学方法存在局限性，忽视了学习科学重视的其他方法带来的可能性，比如协作学习、有引导的发现式学习（guided discovery learning）和从错误中学习（productive failure）等（Dean Jr. & Kuhn，2007）。其中，智能导学系统提供的"个性化学习"功能一般仅支持规定内容学习路径的个性化，而非通过将学习结果个性化和赋能学生实现个人抱负，以提升学生的能动性。此外，虽然有的研究结果表明，研究人员设计的某些智能导学系统可以媲美课堂教学（比如，du Boulay，2016），而且全球各地的许多教育体系已经引入这些系统，但其实目前缺乏有力证据证明这些商用智能导学系统如开发者说的那么卓有成效（Holmes et al.，2018a）。

智能导学系统的大量应用也引发了其他问题。例如，这些系统往往会减少师生之间的人际交往。另外，在典型的智能导学系统课堂上，教师通常花费大量时间在办公桌前，方便监测关于学生互动的仪表盘报告。如果教师选择在室内四处走动，像在非智能导学系统课堂上一样，那么他们会错失了解学生上课情况的机会，难以决定何时应该给予个别关注。为了解决这个难题，一个名为Lumilo的智能导学系统（Holstein et al., 2018）采用增强现实（AR）智能眼镜，让学习动态（比如误解）或行为（比如注意力不集中）信息"飘浮"在每个学生的头上，以便教师掌握详细且不间断的信息，在此基础上采取相应行动。这是人工智能技术的一个吸引人心的应用，但值得注意的是，它旨在解决的问题完全是由另一种人工智能技术应用引发的。另一方面，这种做法会造成人权（尤其是隐私权）等方面的问题。

全球范围内，现今共有60多个商用智能导学系统，包括Alef[33]、ALEKS[34]、Byjus[35]、Mathia[36]、Qubena[37]、Riiid[38]和松鼠AI[39]。联合国教科文组织教育委员会目前正在越南的学校里测试一种名为"高科技 高感触"（Hi-Tech Hi-Touch）[40]的方法，致力于最大化地发挥智能导学系统和教师的作用。

基于对话的导学系统

基于对话的导学系统采用自然语言处理和其他人工智能方法，模拟人类辅导教师与学生之间在循序渐进完成线上任务过程中的口头辅导对话，很多时候涉及计算机科学主题，不过，最近通常涉及不那么结构化的领域。基于对话的导学系统采用苏格拉底式辅导法，即探究人工智能生成的问题，在发展对话过程中，引导学生自己去找到某个问题的合适解决方案，而不是采用授课式教学。这种方法旨在鼓励学生参与解释共建，形成对一个主题的深层理解，而不是肤浅认识——某些授课式智能导学系统可能导致这种表浅认识。

目前，在用的基于对话的导学系统相对较少。使用这些系统的大多是研究项目团队。其中，最经得起考验的系统是AutoTutor（Graess-er et al., 2001）。Watson Tutor[41]是由IBM公司和培生教育出版集团联合开发的一款商用系统。

探索性学习环境

不同于智能导学系统和基于对话的导学系统的循序渐进思路，探索性学习环境提供了另一种范式。探索性学习环境采用建构主义理念：不去遵循按部就班的顺序，比如智能导学系统青睐的"知识传播"模式，而是鼓励学生积极探索学习环境，将之与自己的已有知识架构连接起来，从而构建自己的知识体系。在探索性学习环境中，人工智能的作用是在知识追踪和机器学习方法的基础上，提供自动指导和反馈，从而减少探索性学习通常会产生的认知过载的问题。这种反馈可以消除各种误解，并提出替代方法，在学生进行探索时提供支持。

从广义上讲，探索性学习环境还未走出研究实验室。例如"ECHOES"（Bernardini et al., 2014）；"Fractions Lab"（Rummel et al., 2016）；以及"Betty's Brain"（Leelawong & Biswas, 2008）。

作文自动评阅

作文自动评阅并非让学生在电脑前直接接受即时的指导，而是利用自然语言处理和其他人工智能技术提供作文的自动反馈。总体而言，有两种相互交叉的作文自动评阅方式：形成式作文自动评阅会在学生提交作文之前提出建议，帮助完善其作文；总结式作文自动评阅则会辅助自动评分。

事实上，多数作文自动评阅系统更注重评分，而非反馈，其设计目的主要是降低评估成本，因此可能被视为一种面向系统的应用程序组件。但是，自引入以来，总结式作文自动评阅一直备受争议（Feathers, 2019）。例如，有人批评这种方法根据句子长度等表面特征为学生评分，即使文章内容毫无意义——学生可以胡编乱造地糊弄。另外，系统也无法评估创新性。最令人担忧的是，作文自动评阅系统依据的算法有时存有偏见，特别是对于少数民族学生，这可能是由词汇和句子结构的不同使用方式造成的。总结式作文自动评阅系统也没有解决易于获取的"深伪"大学及中小学作业问题——由人工智能技术通过借鉴专业领域知识并模仿学生个人的写作风格撰写文章。这些情况很难被发现。[42] 最后一点，使用人工智能为作业评分，也不能体现评分的价值。虽然评分过程耗时又枯燥无味，但这也是老师了解学生能力的最好机会。

也有一些面向学生的作文自动评阅系统优先考虑的是给予可操作的反馈——帮助学生提高写作水平，推进学生的自主学习和元认知等高阶过程。

形成式和总结式的作文自动评阅系统目前通过各种程序（例如WriteToLearn[43]、e-Rater[44]和Turnitin[45]）应用于多种教学场景。另有一种相关方法，利用人工智能将新的学生表现与大量的已受教师评估的既往的学生表现进行比较，目前已经用于评价音乐表演，例如使用程序Smartmusic[46]进行评价。

人工智能支持的阅读和语言学习

阅读和语言学习工具正越来越多地使用人工智能来增强其方法。例如，一些工具使用了智能导学系统的路径个性化设置以及人工智能驱动的语音识别。通常，语音识别用于将学生的语音与母语人士的录音样本进行比较，以提供自动反馈，帮助学生改善发音。自动翻译的用途包括帮助学生阅读其他语言的学习材料，以及使来自不同文化背景的学生更容易相互交流。同时，其他系统还会检测并自动分析阅读技能，从而为学生个人提供反馈。

阅读和语言学习的人工智能应用程序包括人工智能教师[47]、神奇英语[48]、Babbel[49]和多邻国[50]。

智能机器人

目前人们也在探索如何将人工智能驱动的或"智能"机器人应用于教育（Belpaeme et al., 2018），特别是在有学习障碍或困难的儿童的学习环境中。例如，目前已经为自闭症谱系障碍学习者创造出具有语音功能的仿人机器人，提供可预测的机械互动，而不是人类的互动，因为后者往往让这些学习者感到困惑。开发此类机器人的目标在于发展学习者的沟通和社交技能（Dautenhahn et al., 2009）。另外还有远程临场机器人（telepresence robots）——因患病或因人道主义或难民危机而无法上学的学生可以通过它重返课堂。[51] 第三个例子是使用仿人机器人向幼儿介绍计算机编程和其他STEM科目，例如新加坡幼儿园课堂使用的Nao[52]或Pepper[53]（Graham, 2018）。

可教代理（Teachable agents）

人们早就知道，向他人传授某些内容时，自身可以更深刻地习得并掌握该项内容（Cohen et al., 1982）。不少人工智能方案也利用了这一特点。例如，前面提到的探索性学习环境Betty's Brain就鼓励学生向一个叫Betty的虚拟学生教授关于河流生态系统的知识。另有一个来自瑞典研究项目的案例：学生教授一个虚拟的可教代理关于数学的益智游戏规则（Pareto, 2009）。第三个案例来自瑞士：幼儿教授一个仿人机器人如何写字[54]——这种方法可以促进元认知、同理心和自尊的发展（Hood et al., 2015）。

教育虚拟现实及增强现实

虚拟现实和增强现实是两种相关的创新技术，已经应用于教育领域，通常与机器学习和其他人工智能技术相结合，以增强用户体验。虚拟现实技术已被用于K-12及其他年级许多科目的教学中，包括天文学、生物学和地质学。虚拟现实眼镜可提供一种隔绝物理世界的沉浸式体验，使用户感觉仿佛被送到了一系列真实世界或想象环境中（如火星表面、火山内部或有胎儿正在发育的人类子宫）。部分虚拟现实创新项目使用人工智能技术控制逼真的虚拟化身，利用自然语言处理进行语音控制，或通过几张起始图像生成整个环境。

而增强现实技术则是将计算机生成的图像叠加在用户的现实世界视野上（很像战斗机飞行员的抬头显示器）。Lumilo正是采用上述增强现实方法，让学生的智能导学系统表现信息浮现在学生头顶上方的。当智能手机的摄像头对准某个二维码时，可能会显示出增强现实的三维人类心脏，对此可以进行深入探索。增强现实技术还可能涉及人工智能驱动的图像识别和追踪。利用这项技术，可以在部分手机和Instagram或Snapchat等网站上将兔子耳朵或猫的胡须放在人的图像上。虚拟现实和增强现实应用于教育领域的实例包括Blippar[55]、EonReality[56]、Google Education[57]、NecBear[58]和VR Monkey[59]。

学习网络协调器

学习网络协调器（LNO）能够使学生和教师互联，参与学习和组织学习活动。学习网络协调器通常根据参与者的参与安排、学科领域和专业知识进行匹配，并能够促进协调和合作。例如"第三空间学习"（Third Space Learning）[60]将有可能数学不及格的英国小学生与其他国家的数学老师相连接。另一个例子是"智能学伴"（Smart Learning Partner）[61]，其使用的人工智能驱动平台使学生能够通过手机像使用交友软件一样选择真人教师并与之连接，从而获得一对一的支持。

人工智能支持的协作学习

协作学习，即学生共同解决问题，以提高学习效果（Luckin et al., 2017），但是学习者之间很难实现有效的协作。人工智能可以通过各种方式转变协作学习：可以作为帮助学习者之间远程连接的工具；可以识别最适合特定协作任务的学生，并对其进行相应分组；可以作为虚拟代理，促进小组讨论。虽然尚未发现具体实例，但这目前已经成为一种研究方向（例如Cukurova et al., 2017）。

人工智能为教师赋能并提高教学水平

尽管面向教师的人工智能应用具有增强教师能力的潜力，但迄今为止，利用这些应用来增强和提高教师和教学受到的关注远远少于面向学生的人工智能。从定义上来说，是后者取代了教师。目前，研究人员和开发者针对教

《北京共识——人工智能与教育》

13. 在教师政策框架内动态地审视并界定教师的角色及其所需能力，强化教师培训机构并制定适当的能力建设方案，支持教师为在富含人工智能的教育环境中有效工作做好准备。

14. 认识到人工智能在支持学习和学习评价潜能方面的发展趋势，评估并调整课程，以促进人工智能与学习方式变革的深度融合。在使用人工智能的惠益明显大于其风险的领域，考虑应用现有的人工智能工具或开发创新性人工智能解决方案，辅助不同学科领域中明确界定的学习任务，并为开发跨学科技能和能力所需的人工智能工具提供支持。

16. 应用或开发人工智能工具以支持动态适应性学习过程；发掘数据潜能，支持学生综合能力的多维度评价；支持大规模远程评价。

（UNESCO, 2019a, pp.5-6）

师的设计往往只用于教学结束之时，例如，在仪表盘中添加显示智能导学系统学生数据的功能。不过，这个问题目前已经慢慢开始被解决。

许多面向教师的人工智能应用旨在通过自动化任务，如评估、剽窃检测、管理和反馈，帮助教师减少工作量。人们常常认为，这应该能为教师腾出时间来，使其投入到其他任务中，例如为个别学生提供更有效的支持。然而，随着人工智能的发展，教师有可能从更多任务中解脱出来，以至于人们感觉对教师的需求减少到几乎没有。虽然这在教师稀缺的情况下可能会有一些好处，但消除对人类教师的需求这一目的表明，一些人对教师在学习过程中的基本社会角色存有根本性的误解。

尽管如此，人们仍普遍认为，随着人工智能工具在课堂上的普及，教师的角色可能会发生变化。目前尚不清楚这将如何发生。不过，我们知道，教师必须培养新的能力，才能够与人工智能有效合作。另外，教师还需要适当的专业发展，以培养其人文和社会能力。

人工智能驱动的论坛监控

人工智能技术正被用于支持在线教育，特别是帮助教师或指导者监控异步讨论的论坛。在这些论坛中，学生对给定的任务做出回应，向教师询问课程材料，并参与协作学习。这通常会产生大量帖子，所有这些帖子都必须经过审核和处理。人工智能可以通过多种方式提供帮助：可以对论坛帖子进行分流，并自动回应较简单的帖子；将提出重复问题的帖子汇总；使用情感分析来识别显示消极或无效情绪状态的帖子。这些技术结合起来，也可以使人类教师随时了解学生的意见和共同烦恼。例如，由美国佐治亚理工学院开发的人工智能助手Jill Watson（尽管存在一些伦理问题）主要被用于分流论坛帖子并尽可能回答问题（如"什么时候提交作业？"），同时将其他更复杂的帖子交给人类教学助理。该人工智能助手基于IBM的Watson平台，可自动回答一些学生问题，并向学生发送关于作业的电子邮件（Goel & Polepeddi，2017）。虽然人们认为这是一个成功的软件，但它的延迟回复、幽默对话等特征使学生误认为人工智能助手是一个真正的人，因此它在伦理层面受到了批判。

人工智能与人类的"双师"模式

虽然有一些明显的例外，但许多教育领域的人工智能——无论是否有意——都取代了一些教师来完成相应的任务，而不是协助教师更有效地教学。中国偏远农村地区的一些学校已经采用了所谓的"双师模式"。在这种模式中，一位专家教师通过视频连线为远程教室中的学生授课，而经验不足的当地教师则为学生提供额外指导（iResearch Global，2019）。未来人工智能教学助手或许可以为其中的某一角色提供支持。人工智能可以帮助人类教师完成许多任务，包括提供专业知识或专业培养资源，与特定环境内外的同事合作，监测学生表现，并在一段时间内跟踪进步情况。教授什么以及如何教学生仍然是教师的责任和特权。人工智能工具的作用仅仅是使教师的工作更容易、更学院化。例如乐外教（LeWaijiao）人工智能教室[62]，它专门为人类教师提供支持，使其可以完成所有关键任务。

人工智能驱动的教学助理

如前所述，许多技术的设计目的是让教师从耗费时间的活动中解脱出来，如考勤、批改作业和反复回答同样的问题。然而，这样一来，这些技术实际上"接手"了大部分教学工作（有些声称可以比教师更好地提供个性化学习活动），干扰了师生关系，可能会使教师沦为功能性角色。例如，作文自动评阅系统的一个目的是减轻教师的评分负担。然而，正如我们所指出的一样，虽然评分工作可能很繁重，但它往往是教师了解学生写作策略和能力的一个重要机会。如果使用作文自动评阅系统，这一机会就会丧失。

此外，这种方法显然低估了教师的独特技能和经验，以及学习者的社交和指导需求。人工智能不仅仅会使基于计算机的教学自动化，还有助于开创难以实现的新的教学方式，或者挑战甚至颠覆现有教学法。这种方法旨在增强教师的专业知识，也许是以人工智能教学助理的方式实现（Luckin & Holmes, 2017）。一些人工智能应用是为了对教师和学校赋能，以促进学习的转变而开发的。目前对这些应用程序已经进行了一些研究，但在真正利用这些应用程序之前，还需要克服许多技术和伦理问题。

3.2 如何挖掘人工智能的创新应用实现教育共同目标？

如上所探讨的，人工智能正以多种方式被用于教育领域。但是，尽管使用了尖端技术，这些应用程序也仅仅是将一些过时的课堂实践自动化，而不是利用人工智能的独特能力重新构想教学与学习。换言之，教育领域的人工智能研发人员目前只是专注于较复杂但相对容易解决的知识记忆和回忆问题。而对于解决更复杂的教育问题，如协作学习或新的评估和认定方式，研发人员尚未进行充分研究，更不用说将其作为商业产品大规模提供了。因此，为了促进对话，本指南提出一些可以利用人工智能实现教育领域共同利益的创新方法。

人工智能驱动的终身学习伙伴

每个学生都希望拥有自己的个性化终身导师，这也是最早启发将人工智能应用于学习中的原因。从技术上讲，利用智能手机和相关技术的功能创造一个人工智能驱动的学习伙伴，使其能够终身陪伴个人学习者，并不一定很困难。学习伙伴不是以指令性智能导学系统的方式来教授学生，而是根据学生个人的兴趣和目标提供持续支持，帮助学生决定学习什么，以及在哪里和如何学习。它还可以引导学生沿着个性化的学习路径学习，帮助学生实现新目标，并将学生的学习兴趣和成绩联系起来，同时鼓励学生反思和修改其长期学习目标。尽管潜力深厚，但目前还没有商业化的人工智能终身学习产品，相关研究也很少。

人工智能赋能持续评估

虽然没有什么证据表明高利害考试（high-stakes examination）的有效性、可靠性或准确性，但在世界各地的教育系统中，高利害考试都处于核心地位。因为有这样的考试，各大学和中小学往往实施应试教学，将常规的认知技能和知识习得（被人工智能取代的知识类型）置于深入理解和真实应用之上。

事实上，目前开发的人工智能已经可以用于扩展现有的考试实践。例如，人工智能驱动的人脸识别、语音识别、键盘动态和文本取证正越来越多地用于验证远程考生。[63]尽管这可能对一些学生有好处（例如那些参加面对面考试有困难的残疾学生），但尚未证实这些工具的规模化应用效果，它们延续了，而不是缓解了基于考试的评估实践问题。

另有一种评估方法，或许可以借助人工智能工具不断监测学生的进步情况，提供有针对性的反馈并评估学生的掌握情况。所有这些信息可能会在学生正式接受教育课程期间经过整理。虽然使用人工智能驱动的持续评估来取代高利害的阶段性考试可能很有吸引力，但这也涉及在教育领域应用人工智能的好处和挑战。让学生在学习过程中展示其能力，在某些方面是有利的，但目前仍不太清楚如何在没有持续监测（即监视）的情况下实现这一点。这种监测涉及许多伦理问题。

此，学生即拥有一个强大的、经认证的学习经历和成绩记录，这有可能比一系列考试证书更详细。学生将能够让高等教育机构和未来雇主安全访问其电子学习档案的相关部分。

> **《北京共识——人工智能与教育》**
>
> 20. 重申终身学习是实现可持续发展目标4的指导方针，其中包括正规、非正规和非正式学习。采用人工智能平台和基于数据的学习分析等关键技术构建可支持人人皆学、处处能学、时时可学的综合型终身学习体系，同时尊重学习者的能动性。开发人工智能在促进灵活的终身学习途径以及学习结果累积、承认、认证和转移方面的潜力。
>
> 21. 意识到需要在政策层面对老年人尤其是老年妇女的需求给予适当关注，并使他们具备人工智能时代生活所需的价值观和技能，以便为数字化生活消除障碍。规划并实施有充足经费支持的项目，使较年长的劳动者具备技能和选择，能够随自己所愿保持在经济上的从业身份并融入社会。
>
> （UNESCO，2019a，p.7）

人工智能驱动的终身学习成绩记录

"人工智能驱动的电子学习档案"可以用于整理学生在接受正规教育期间的所有持续评估信息，以及学生参与非正规学习（如学习乐器或手工艺）和非正式学习（如习得一种语言）的数据。该记录将作为一种智能和动态简历，可以使用区块链技术来担保和认证。[64] 如

3.3 如何确保人工智能在教育中应用的伦理规范、包容性和公平性？

以合乎伦理、包容和公平的方式将人工智能用于教育领域，影响着每一个可持续发展目标。相关议题集中于以下方面：数据和算法、教学方式选择、包容性和"数字鸿沟"、儿童的隐私、自由和无障碍发展权，以及性别、残疾、社会和经济地位、种族和文化背景与地理位置方面的公平。

关于教育数据和算法的新伦理和法律问题

人工智能技术的广泛部署带来了诸多风险和挑战，包括数据所有权（例如利用数据获取商业利益）、知情同意权（例如学生是否有能力在成长或法律层面被给予真正的知情同意权）和隐私权（例如使用侵入性的情绪检测系统）等方面的风险和挑战。另一个风险是，算法的偏见可能会侵害基本人权。还有一个令人担忧的问题是，人工智能数据和专业知识正被少数国际技术和军事超级大国所积累。尽管如此，人工智能技术在教育领域的应用范围依旧非常广泛，且在不断扩大。

> 关于人工智能在教育领域的应用所带来的具体伦理问题，世界各地几乎没有开展任何研究，没有商定任何准则，没有制定任何政策，也没有颁布任何法规来解决。
>
> （Holmes et al.，2018b，p.552）

与主流人工智能一样，人们对为支持人工智能在教育领域的应用而收集大量的个人数据表示担忧——这一过程被称为"数据监控"（dataveillance）（Lupton & Williamson, 2017）。谁拥有、谁能够访问这些数据，存在哪些隐私和保密问题，以及应该如何分析、解读和分享这些数据？所有学习者的个人数据都易遭到滥用或泄露，特别是考虑到全世界仅有不到30%的国家（不包括欧洲）制定了全面的数据保护法律。

另一个重大问题是，人工智能算法（即如何分析数据）中可能包含有意识或无意识的偏见。

事实上，算法在社会中发挥着越来越广泛的作用，从影响某人是否得到工作岗位的决定，到某人应接受多久监禁等，实现了各种任务的执行自动化。然而，人们越来越认识到，算法并不像其通常展现的那样中立。例如，它们可以自动产生偏见，对个人造成不同程度的负面影响（Hume, 2017）。

任何有偏见的分析都可能对学生个人的人权产生负面影响（在学生的性别、年龄、种族、社会经济地位、收入不平等等方面）。然而，这些围绕数据和偏见的特殊伦理问题都是"已知的未知数"，也是主流人工智能领域频繁讨论的问题。[65] 但有迹象表明，领先的技术公司对"伦理洗白"越来越感兴趣，以试图逃避国家或国际的监管（Hao, 2019）。我们还必须考虑"未知的未知数"，即人工智能与教育的互动所引发的那些尚未确定的伦理问题。这些伦理问题包括：

■ 在定义和不断更新关于收集和使用学习者数据的伦理边界时，应考虑哪些准则？

■ 学校、学生和教师如何选择退出大数据的集中呈现，或对此等呈现提出质疑？

■ 无法轻易查询人工智能是如何做出决定的（使用多层神经网络）会有什么伦理影响？

■ 私营组织（产品开发商）和公共机构（参与研究的中小学校和高校）的伦理责任是什么？

■ 学生兴趣和情绪的暂时性与学习过程的复杂性，对数据的解读以及人工智能应用于教育领域的伦理问题有何影响？

■ 什么样的教学法在伦理层面是合理的？

《北京共识——人工智能与教育》

确保教育数据和算法使用合乎伦理、透明且可审核：

28. 认识到人工智能应用程序可能带有不同类型的偏见，这些偏见是训练人工智能技术所使用和输入的数据自身所携带的以及流程和算法的构建和使用方式中所固有的。认识到在数据开放获取和数据隐私保护之间的两难困境。注意到与数据所有权、数据隐私和服务于公共利益的数据可用性相关的法律问题和伦理风险。注意到采纳合乎伦理、注重隐私和通过设计确保安全等原则的重要性。

29. 测试并采用新兴人工智能技术和工具，确保教师和学习者的数据隐私保护和数据安全。支持对人工智能领域深层次伦理问题进行稳妥、长期的研究，确保善用人工智能，防止其有害应用。制定全面的数据保护法规以及监管框架，保证对学习者的数据进行合乎伦理、非歧视、公平、透明和可审核的使用和重用。

30. 调整现有的监管框架或采用新的监管框架，以确保负责任地开发和使用用于教育和学习的人工智能工具。推动关于人工智能伦理、数据隐私和安全相关问题，以及人工智能对人权和性别平等负面影响等问题的研究。

（UNESCO, 2019a, pp.8-9）

此外，人工智能在教育领域的应用因具有侵入性和去人性化（de-humanising）的特征而受到批评：侵入性是因为一些应用需要持续监测学生的行为、姿态和情绪；去人性化是因为一些人工智能要求学生适应指定的教学方法，

减少人与人之间的互动，遵循分散内容的结构化路径，这种方式也降低了学习者的能动性。一些案例揭露了伦理方面的争议，比如录制课程并使用人工智能来分析课堂谈话的质量如何有助于学习（Kelly et al., 2018）。如果设备不以侵入性的方式被引入课堂，使用人工智能来识别学习模式和问题，也许在伦理层面不会有太大问题。然而，一些学校使用人工智能驱动的教室摄像头监控学生的行为（Loizos, 2017）。这已经越过了伦理底线，因为学校使用了面部识别技术来检查学生在课堂上的专心程度。学生的每一个动作都会被安置在黑板上方的多个摄像头所监视。该系统的工作原理是识别面部表情，并将这些信息输入计算机，以评估学生是精力集中，还是在走神儿。其中有一个例子，计算机可以识别七种不同的情绪：平静、快乐、悲伤、失望、愤怒、害怕和惊讶。如果系统断定学生分心了，就会向老师发出通知，让其采取行动。然而，这些摄像头提高了学生的焦虑水平，改变了他们的自然行为。学生们称，他们觉得有一双神秘的眼睛一直在盯着他们。

另一种由人工智能驱动的方法更甚，它使用头戴设备中的脑电图[66]传感器来检测学生在执行任务时的大脑活动。开发人员多次声称，这项技术有可能改善学习——这种说法受到了神经科学家的质疑。这些头戴设备可能会产生不准确的结果或意想不到的后果。值得注意的是，2019年10月，中国国家互联网信息办公室和教育部出台了相关规定，旨在遏制学校使用人工智能驱动的摄像头、头戴设备和其他设备（Feng, 2019）。这些规定要求在对学生使用人工智能技术之前，必须获得家长的同意。另外规定还要求对所有数据进行加密。目前这已促使中国学校停止使用面部识别和脑电图技术，尽管这可能只是暂时的。

在《北京共识》中，第28至30条阐述了人工智能在教育中的伦理问题。《北京共识》还建议，所有政府均应制定并实施监管框架，以确保负责任地开发和使用人工智能工具进行教育和学习。该项工作应以联合国教科文组织目前正在制定的《人工智能伦理问题建议书》（UNESCO, 2020）为基础。

那些掌握和未能掌握核心数字技术（如互联网和人工智能）的人之间的鸿沟问题影响着每个可持续发展目标。更为复杂的是，这种数字鸿沟存在于许多方面，例如：发达国家和发展中国家之间，国家内部不同的社会经济群体之间，技术的所有者和使用者之间，以及依靠人工智能提高工作的人和那些工作容易被取代的人之间。

简单举一个例子，在使用电信网络方面的悬殊差异影响着发展中国家的人们以及发达国家农村地区的人们。此外，尽管近年来宽带价格大幅下降，但数字服务和设备对许多人来说仍然难以负担，这阻碍了人工智能的广泛引入。事实上，缺乏宽带设备会导致恶性循环：没有宽带，对数字技术的使用就会受到限制，而那些无法使用数字技术的人就不会出现在机器学习所依赖的数据集之中。这样一来，处于数字鸿沟劣势一侧的人的希望、利益和价值观在人工智能时代被排挤，而新的人工智能也无意中对他们产生了偏见。

由于权力和盈利日益集中于少数国际技术超级大国（仅仅是少数几个国家），数字鸿沟进一步加剧。如果没有有效的政策干预，教育领域的人工智能部署可能会反映出这一不可阻挡的进程，难免会放大而非缩小现有的学习不平等。

人工智能推进教育包容性和公平性的契机

除了关注所有人在人工智能技术使用机会方面的公平性之外,我们还需要考虑人工智能在助力实现可持续发展目标4方面的潜力,以帮助确保包容和公平的优质教育,让全民享有终身学习机会。为了在2030年实现中小学教育的普及,全球需要再招聘6880万名教师(UNESCO,2016)。在这种具有挑战性的背景下,可能会使用或进一步开发许多人工智能技术,以帮助改善教育——特别是对年长者、难民、边缘化或孤立群体,以及有特殊教育需求的人。67 然而,我们必须认识到,增加教育机会仍然主要是一个政治和社会问题。人工智能技术可能会有所帮助,但不太可能提供解决方案。例如,代替教师功能而非增强教师能力的人工智能技术,可能有助于在教师稀缺的情况下实现短期补救,但可能会无意中加剧而不是解决实现可持续发展目标4的长期挑战。

因此,对于目前人工智能在改善教育和学习方面被夸大的潜力,政策制定者有责任确保慎重看待。应使用联合国教科文组织的ROAM框架("权利、开放、可及和多方"),确保人工智能在教育中的应用全面解决更广泛的人权和新出现的伦理问题(UNESCO,2019b)。例如,教育领域的人工智能应面向所有公民(不分性别、残疾、社会或经济地位、种族或文化背景或地理位置),特别是对弱势群体(如难民或有学习障碍的学生)不得加剧现有的不平等现象。

人工智能被用于推进教育包容性和公平性的例子有很多。

《北京共识——人工智能与教育》

22. 重申确保教育领域的包容与公平以及通过教育实现包容与公平,并为所有人提供终身学习机会,是实现可持续发展目标4—2030年教育的基石。重申教育人工智能方面的技术突破应被视为改善最弱势群体受教育机会的一个契机。

23. 确保人工智能促进全民优质教育和学习机会,无论性别、残疾状况、社会和经济条件、民族或文化背景以及地理位置如何。教育人工智能的开发和使用不应加深数字鸿沟,也不能对任何少数群体或弱势群体表现出偏见。

24. 确保教学和学习中的人工智能工具能够有效包容有学习障碍或残疾的学生,以及使用非母语学习的学生。

33. 基于各国自愿提交的数据,监测并评估各国之间人工智能鸿沟和人工智能发展不平衡现象,并且注意到能够获取使用和开发人工智能和无法使用人工智能的国家之间两极分化的风险。重申解决这些忧虑的重要性,并特别优先考虑非洲、最不发达国家、小岛屿发展中国家以及受冲突和灾害影响的国家。

34. 在"2030年教育"的全球和地区架构范围内,协调集体行动,通过分享人工智能技术、能力建设方案和资源等途径,促进教育人工智能的公平使用,同时对人权和性别平等给予应有的尊重。

35. 支持对与新兴人工智能发展影响相关的前沿问题进行前瞻性研究,推动探索利用人工智能促进教育创新的有效战略和实践模式,以期构建一个在人工智能与教育问题上持有共同愿景的国际社会。

36. 确保国际合作有机配合各国在教育人工智能开发和使用以及跨部门合作方面的需求,以便加强人工智能专业人员在人工智能技术开发方面的自主性。加强信息共享和有良好前景应用模式的交流,以及各国之间的协调和互补协作。

(UNESCO,2019a,pp 7 & 9)

- 世界数字图书馆[68]使用谷歌语音助手，让有识字困难的人只用语音命令就能搜索到书籍，然后由语音助手大声朗读书籍，让他们获得知识。

- Dytective，一种人工智能驱动的筛查工具，使用机器学习对阅读障碍进行早期检测。它由西班牙的Change Dyslexia公司开发，还提供了基于游戏的学习环境，用于练习24种关键的识字技能。[69]

- 人工智能驱动的人工语音[70]，供不能说话或有语言障碍的人使用，有时可以匹配人的原始语音。

- 人工智能驱动的自动语音识别和转录，将原始口语转化为通顺的带标点的文本，使聋哑学生更容易参加现场讲座。[71]

- 人工智能和增强现实应用，通过将文本翻译成手语来帮助聋哑儿童阅读，如华为开发的StorySign[72]手机应用。

- 人工智能驱动的"智能"机器人，如针对自闭症谱系障碍学习者的语音机器人[73]，提供可预测的机械互动，帮助学习者培养交流和社交能力。

- 远程临场机器人，供无法上学的学生使用（Heikkila，2018）。

- 人工智能驱动的智能导学系统，是教育领域最常见的人工智能工具，其中一些被用来诊断特定的学习困难并制定个性化学习路径（关于智能导学系统的讨论见第3.1节第16页）。

《北京共识》中反映了人工智能在教育领域的应用实现包容、公平的复杂性。为引导人工智能实现包容性和公平性，现提出指导性原则和策略。

3.4 人类如何通过教育实现与人工智能共处及合作？

如前所述，计算机更擅长依赖数据、规律识别和统计推理的任务，而人类在需要同理心、自我指导、常识和价值判断的任务方面仍然更胜一筹。换言之，在帮助学生学习如何在越来越受人工智能影响的世界中有效生存时，所需的教学方法不应是关注计算机擅长的东西（如记忆和计算），而更应强调人类的技能（如批判性思维、沟通、协作和创造力），以及在生活、学习和工作中与普遍存在的人工智能工具协作的能力。

如前所述，第四次工业革命已经对现代生活的许多方面产生了影响，特别是劳动力市场。在许多国家，人工智能已经在接手标准化和重复性的工作，彻底改变了效率，取代了很多工作岗位。然而，据一些世界领先的咨询公司称[74]，人工智能也可能创造许多新的就业机会，并产生积极的整体经济效益，尽管它们对于将取代和创造多少工作机会持有不同意见。

无论长期结果如何，就业的本质可能会发生变化（"工作生活是无常和不可预测的"，Barrett，2017），数以百万计的工人将受到重大影响，而且大多是负面影响。许多人将不得不接受再培训，一生中从事多种职业正迅速成为新常态。[75]同时，会使用和不会使用新技术的人之间的技能差距[76]将继续扩大，导致越来越多的工人被就业市场排斥，中产阶级将出现"空洞化"（Smith & Anderson，2014）。机会与风险并存，因此需要共同努力，确定每个人如何从发展中获益。国际劳工组织最近的报告《为了更加美好的未来而工作：劳动世界的未来全球委员会》（ILO，2019）指出：

> 无数机会正摆在我们面前，可以提高工作生涯质量、扩大选择、缩小性别差距、扭转全球不平等造成的危害等等。但这一切不会自行发生。如不采取果断行动，我们将进入一个不平等和不确定性进一步加剧的世界。

事实上，如果各国要确保人工智能不加剧现有的不平等，那么每个公民都必须有机会深入了解人工智能——它是什么、如何工作以及如何影响生活，这一点将越来越重要。这种认知有时被称为"人工智能素养"（AI literacy）。因此，教师将发挥关键作用，教育供给必须转向支持终身学习，以便人们能够发展自己的能动性、就业能力和贡献于社会的能力。换句话说，全球的教育和培训方法都需要采取覆盖整个系统的应对措施，以帮助所有公民做好在人工智能时代和谐生活和工作的准备。

将必要的人类价值观和技能纳入主流，需要建立一个覆盖整个系统，甚至整个社会的框架，其中涉及几个互补的层面：

(i) 促进终身学习，使每个人（尤其是年长者）得以深入了解人工智能[77]（特别是人工智能算法如何选择和操纵数据、如何解读数据以及如何产生偏见）及其对个人和广大社会的影响。

(ii) 将基本的人工智能学习纳入K-12年级学校课程[78]（包括计算思维、数据和算法素养、编程和统计，以使青少年能够生成自己的人工智能工具），我们将在后面更详细地讨论这个问题。

(iii) 培养人工智能领域的新一代专业人才，以解决日益扩大的技能鸿沟，填补世界各地创造的人工智能工作岗位。

(iv) 推进高等教育及研究机构开发具有突破性的公平人工智能。

(v) 确保日益增加的人工智能劳动力具有多样性和包容性（涉及女性以及通常被排除在外的其他群体）。

《北京共识——人工智能与教育》

6. 我们还认识到人类智能的独特性。忆及《世界人权宣言》中确立的原则，我们重申联合国教科文组织在人工智能使用方面的人文主义取向，以期保护人权并确保所有人具备在生活、学习和工作中进行有效人机合作以及可持续发展所需的相应价值观和技能。

17. 注意到采用人工智能所致的劳动力市场的系统性和长期性变革，包括性别平等方面的动态。更新并开发有效机制和工具，以预测并确认当前和未来人工智能发展所引发的相关技能需求，以便确保课程与不断变化的经济、劳动力市场和社会相适应。将人工智能相关技能纳入中小学学校课程和职业技术教育与培训以及高等教育的资历认证体系中，同时考虑到伦理层面以及相互关联的人文学科。

18. 认识到进行有效的人机协作需要具备一系列人工智能素养，同时不能忽视对识字和算术等基本技能的需求。采取体制化的行动，提高社会各个层面所需的基本人工智能素养。

19. 制定中长期规划并采取紧急行动，支持高等教育及研究机构开发或加强课程和研究项目，培养本地人工智能高端人才，以期建立一个具备人工智能系统设计、编程和开发的大型本地人工智能专业人才库。

（UNESCO，2019a，pp.4 & 6）

(vi) 预测员工和雇主的新需求，并提供在职提升技能或再训技能的机会（因为人工智能可实现中低技能工作的自动化）。

关于让人类与人工智能共处及合作的方案，有各种前景可观的实例，包括帮助年幼学习者培养人工智能技能。同时，各种人工智能平台和工具也应运而生，以支持这些技能。

- 在中国，"算法和计算思维"已被纳入教育部《普通高中信息技术课程标准（2017年版）》（中华人民共和国教育部，2017），同时《高等学校人工智能创新行动计划》（中华人民共和国教育部，2018）也旨在提升中国高校的人工智能能力。此外，教育部还发布了"人工智能助推教师队伍建设"行动试点计划，旨在提高教师教育的创新性。

- 在美国，宾夕法尼亚州蒙托尔学区（Montour School District）教授幼儿人工智能编程课程，让学生有机会体验如何通过智能设计助力公益。[79]

- 在新加坡，仿人机器人（如Nao[52]和Pepper[53]）被应用到了幼儿园课堂中，为儿童介绍编程和其他STEM科目（Graham，2018）。

- 英国和肯尼亚实施了青少年人工智能计划[80]，旨在启迪新一代人工智能研究人员、企业家和领导者。它结合编程马拉松、速成班、集训营和导师，让年轻人可以接触到具有社会意识的人工智能部署。

- 新加坡SkillsFuture[81]计划专注于数字技能提升和再训。特别是，该计划为人工智能科学家和工程师提供一系列技能以及对人工智能的基本理解，包括如何与人工智能世界和谐共处。

- 在芬兰，赫尔辛基城市应用科学大学参与联合开发了一款名为Headai的人工智能应用程序。该应用程序对招聘广告和高校课程实施监测和分析，以创建能力地图[82]，对比人工智能技能的供需情况，然后反过来使高校能够迅速调整课程，以满足市场需求。

- 美国AI4K12[83]计划，由美国人工智能协会（AAAI）和计算机科学教师协会（CSTA）联合发起，提供了一套资源，旨在帮助教师向学生教授人工智能知识。

- 联合国教科文组织的"K12人工智能教学"（Teaching AI for K12）门户网站[84]，汇集了世界各地的人工智能教学资源，供任何教师或家庭教育者使用，以帮助其学生学习人工智能。

- 一批免费在线课程，其设计初衷是供公民了解人工智能的工作原理。这些课程包括：

    - "人工智能的要素"（Elements of AI）[85]：由Reaktor和赫尔辛基大学创建的一系列免费在线课程。课程有多种语言版本，旨在鼓励人们学习什么是人工智能，人工智能能做什么、不能做什么，以及如何开始创建人工智能方法。

    - OKAI[86]：一系列在线课程，提供英文和中文版本。该项目旨在揭开人工智能的神秘面纱，将其概念介绍给没有计算机科学背景或相关知识背景有限的受众。它利用基于网络的互动图像和动画来说明人工智能的工作原理。

    - AI-4-All[87]：美国的一项非营利性项目，致力于提高人工智能教育、研究、开发和政策的多样性与包容性，目的是为人工智能领域的弱势群体创造更多机会。

4. 利用人工智能实现可持续发展目标4所面临的挑战

尽管人工智能具有应用于教育领域的潜力，但是具体到利用人工智能实现可持续发展目标4，仍面临着许多挑战。整个社会还需要克服更多障碍，以释放人工智能的潜力，减轻其弊端，并建立面向未来的教育系统。人工智能对学生、教师和更广泛的社会的影响还有待确定，包括人工智能干预的有效性、人工智能工具中使用的教学法的选择、学生隐私、教师的工作，以及我们在大学和中小学应该教授什么等问题。在本章中，我们简要探讨了一些仍需解决的关键问题。

4.1 数据伦理和算法偏见

如上所讨论的，数据处于现代人工智能方法的核心，引发了大量基于数据保护、隐私和所有权以及数据分析的挑战性问题。这些伦理问题引起了广泛关注（对此的总结参见Jobin et al., 2019）。类似地，教育数据的伦理问题也是许多研究的重点（例如，Ferguson et al., 2016），引发了关于知情同意、数据管理和数据观（例如，机构观与个人观）的进一步问题。人工智能在教育领域的任何应用都应妥善地解决这些数据问题，以及关于教育的其他具体问题，如教学法的选择。

此外，人们早已认识到，通过设计，人工智能会放大其初始数据的隐藏特征，并有力地强化其基本假设。特别是，

> （如果算法）是由带有人类偏见的数据训练出来的，那么算法自然也会习得偏见，并且可能会进一步放大偏见。尤其如果人们假定算法是公正的，这会是一个极其严重的问题。（Douglas，2017）

简言之，人工智能本身并没有偏见，而是在其数据存有偏见或以不适当的算法分析数据时，原有的以及可能尚未发现的偏见会更加显著，并产生更严重的影响。让人们注意到偏见，其意义在于敦促对偏见的纠正，但任由偏见产生更大影响则可能会导致不利结果，因此应该谨慎地弱化偏见。

4.2 性别平等的人工智能以及借助人工智能促进性别平等

> **《北京共识——人工智能与教育》**
>
> 25. 强调数字技能方面的性别差距是人工智能专业人员中女性占比低的原因之一，且进一步加剧了已有的性别不平等现象。
> 26. 申明我们致力于在教育领域开发不带性别偏见的人工智能应用程序，并确保人工智能开发所使用的数据具有性别敏感性。同时，人工智能应用程序应有利于推动性别平等。
> 27. 在人工智能工具的开发中促进性别平等，通过提升女童和妇女的人工智能技能增强她们的权能，在人工智能劳动力市场和雇主中推动性别平等。
>
> （UNESCO，2019a, p.8）

如果要使人工智能为社会带来真实福利，则须竭尽全力确保将公平和性别平等作为人工智能的一项基本原则。然而，目前人工智能的多种应用显示存有性别偏见。例如，2018年，科技巨头亚马逊放弃在招聘中使用机器学习，因为它系统性地歧视女性求职者。其根源在于原始数据是以公司的历史招聘记录为基础的，总是不明就里地对女性产生偏见。人工智能在进行自动化选择时，不可避免地放大原始偏见，使其格外显著。一些人提出，亚马逊不应放弃在招聘中使用人工智能，而是应该努力解决这种偏见。另一个例子是关于人工智能个人助手的开发，如苹果的Siri[19]、亚马逊的Alexa[20]以及百度的DuerOS[21]。许多工具使用的都是女性的名字和声音，从而造成了微妙但非常严重的暗示。

> 由于其女性名字、声音和程序化调情特征，虚拟个人助手的设计再现了对女性秘书的歧视性刻板印象——在性别刻板印象中，女性秘书通常不仅是男性老板的秘书。它还强化了女性附属于并顺从男性的角色。这些人工智能助手根据用户的命令运行。它们没有权限拒绝这些命令，且被设定为只能服从。可以说，人工智能助手也提高了人们对于真实女性应该如何表现的期望。（Adams，2019）

在课堂上使用这些具有性别刻板印象的技术可能会产生什么影响，仍是一个有待解决的问题。

解决这些性别平等问题是一个重要的目标，因为只有当女性在人工智能劳动力中有足够的代表性时才有可能实现性别平等，而这本身就是一个令人忧虑的话题。领英（LinkedIn）最近的一项分析显示，在全球人工智能专业人士中，女性仅占22%（World Economic Forum，2018）。提高女性在人工智能领域的代表性，对于保护基本人权并帮助防止人工智能驱动的偏见被扩散和放大至关重要。

4.3 监测、评估和研究人工智能在教育领域的应用

虽然人工智能在教育领域的应用已有50多年研究历史，但值得注意的是，人工智能在大学和中小学中仍然比较少见，即使在发达国家也是如此。事实上，目前甚至尚不清楚正在向教育领域投入的技术是否真的能胜任这项工作。

> 目前存在的许多"实证性"依据大多是关于人工智能如何以技术能力在教育中发挥作用的，而没有询问或详尽回答教育领域是否需要人工智能的问题。（Nemorin，2021）

尽管与传统的课堂教学相比，一些智能导学系统已被证明普遍有效，但关于人工智能在教育领域的应用，几乎没有累积的或可复制的研究实例，也缺乏有力的证据证明其规模效应（du Boulay，2016）。事实上，许多人工智能工具的所谓功效可能更多在于其新颖性而不是实质内容。我们确实没有足够的证据（Holmes et al.，2018a）。

虽然似乎毫无疑问，人工智能将对教育机会、内容和结果的供应及管理产生重大影响，但我们仍然不确定人工智能解决方案如何改善这些结果，以及是否能够帮助科学家更好地了解学习是如何发生的。

尤其是许多人提出，人工智能在解决教育问题上可以发挥重要作用，如新冠肺炎疫情期间学校关闭所造成的不断增加的不公平现象。在疫情发生后的最初几个月，许多教育领域的人工智能公司报告称注册用户激增。然而，几乎没有证据表明，这些系统起到的作用大于虚拟儿童监护的功能，或者青少年因使用这些系统而收获更多。因此，政策制定者在断定人工智能可以解决疫情造成的教育问题之前，需要进一步研究和评估，以区分现实和夸大的部分。最终，人工智能也许能够发挥有益的作用，但目前我们根本没有足够的信息来了解它的助益程度。

> 《北京共识——人工智能与教育》
>
> 15. 支持采用全校模式围绕利用人工智能促进教学和学习创新开展试点测试，从成功案例中汲取经验并推广有证据支持的实践模式。
>
> 31. 注意到缺乏有关人工智能应用于教育所产生影响的系统性研究。支持就人工智能对学习实践、学习成果以及对新学习形式的出现和验证产生的影响开展研究、创新和分析。采取跨学科办法研究教育领域的人工智能应用。鼓励跨国比较研究及合作。
>
> 32. 考虑开发监测和评估机制，衡量人工智能对教育、教学和学习产生的影响，以便为决策提供可靠和坚实的证据基础。
>
> （UNESCO，2019a，pp.6 & 9）

4.4 人工智能将对教师角色产生哪些影响？

> 《北京共识——人工智能与教育》
>
> 12. 注意到虽然人工智能为支持教师履行教育和教学职责提供了机会，但教师和学生之间的人际互动和协作应确保作为教育的核心。意识到教师无法被机器取代，应确保他们的权利和工作条件受到保护。
>
> 13. 在教师政策框架内动态地审视并界定教师的角色及其所需能力，强化教师培训机构并制定适当的能力建设方案，支持教师为在富含人工智能的教育环境中有效工作做好准备。
>
> （UNESCO，2019a，p.5）

尽管使用智能导学系统的商业目标是履行教师职责，但在短时间内机器仍不太可能取代教师。许多人工智能开发人员的志向是减轻教师的各种负担（如监测进度和批改作业），使教师可以专注于教学的人性化方面（如社会参与、共情互动，并提供个人指导）。随着人工智能功能的改进，其必然会减轻教师越来越重的负担。相应地，鉴于人工智能工具接手知识传输、促进学生的低阶思维发展的任务，教师的作用也会随之减弱。从理论上讲，教师因此可以更专注于设计和推进需要高阶思维、创造力、人际协作和社会价值的学习活动——尽管人工智能开发人员无疑已经在努力实现这些任务的自动化。因此，为了确保教师继续在青少年教育中发挥关键作用，政策制定者必须从战略上审查人工智能如何改变教师的角色，以及教师如何准备在人工智能教育环境中工作。

4.5 人工智能将对学习者的能动性产生哪些影响？

即使避免了以人工智能取代教师的反乌托邦式场景，学习者的能动性仍可能会因教育领域过多地使用适应性人工智能而减弱。这意味着学习者相互交流的时间减少，更多的决定由机器做出，并且更关注最易于自动化的知识类型。这可能会剥夺学习者培养其智谋（resourcefulness）、自我效能、自我管理、元认知、批判性思维、独立思考和其他21世纪技能的机会，而这些技能却是全人培养的关键（World Economic Forum and Boston Consulting Group，2016）。目前还不清楚这将对学生、公民和教育规划产生什么长期影响。

目前大约有400所学校正在使用由Facebook工程师开发的一种智能导学系统"巅峰学习"（Summit Learning），而它已经成为学生抗议和抵制的焦点。多所学校的学生走出校门抗议，称他们使用该程序的体验并不好——它要求上课期间学生在电脑面前坐数个小时。他们特别担忧的是，该程序剔除了发展批判性思维所需的许多人际互动和教师支持（Robinson & Hernandez，2018）。资助"巅峰学习"项目的陈-扎克伯格计划（Chan Zuckerberg Initiative）对这些说法提出了异议。

此外，如前所述，人工智能会放大其初始数据的隐蔽特征，并有力地强化其基本假设。在这方面，基于规则的和机器学习的人工智能技术是相似的（Holmes et al.，2019）。这些技术的设计和大部分教学方法的实施，以知识转移和内容传递为重点，忽视了背景和社会因素，放大了关于教学方法已有但存在争议的假设。这一系列的关键问题，需要人工智能教育界的充分参与。人工智能在教育领域的所有应用都应该加强而不是威胁全人的培养。

5. 政策应对综述

正如经济合作与发展组织（OECD）所指出的，全球60个国家以及欧盟地区实施了300多项人工智能政策计划。[88] 其中大部分都提到了教育问题。例如，许多计划中提到人工智能能力建设的需要（即"学习人工智能"），但大多数局限于高等教育。有些还提到了再培训，这对减轻人工智能对工人的影响越来越有必要。

然而，尽管设定了可持续发展目标4，但是很少有计划关注K-12阶段的人工智能学习，如何在教育中实施人工智能（即"使用人工智能学习"），或如何让公民做好准备，以适应越来越受人工智能影响的世界（即"为了人机协同而学习"）。

在本章中，我们总结了一些专门针对人工智能与教育的国家和地区政策，为其他国家的决策者根据现有通用人工智能计划制定策略提供参考。

5.1 政策应对方式

应对人工智能与教育发展问题的跨国和区域性政策多种多样，大致可以分为三种方式：独立式、综合式和专题式（见表3）。

- **独立式**

  拥有独立的人工智能政策和战略，如欧盟的《人工智能对学习、教学和教育的影响》（Tuomi, 2018），以及中国的《新一代人工智能发展规划》（中华人民共和国教育部，2017）。

- **综合式**

  将人工智能要素融入现有的教育或信息通信技术政策和战略，如阿根廷的"学习互联"（Aprender Conectados）（Ministry of Education, Argentina, 2017）。

- **专题式**

  专注于与人工智能和教育有关的某一特定主题，如欧盟的《通用数据保护条例》（GDPR）。

接下来我们将对这三种方式逐一进行详细探讨。

独立式

- 2016年，美国发布《国家人工智能研究与发展战略计划》。关于人工智能在教育中的应用方面，该计划强调改善教育机会和生活质量。具体而言，它认为：(i)借助人工智能赋能的学习技术，可以普及自适应自动辅导；(ii)人工智能教师可以作为人类教师的补充，帮助提供适合个人的进阶性和辅导性学习；(iii)人工智能工具可以促进所有社会成员进行终身学习并习得新技能。

- 2016年，韩国发布《智能信息社会中长期准备计划》。该计划包括从2020年开始每年培训5000名人工智能毕业生，到2030年为其人才库新增50000名人工智能专家。

- 2017年，中国发布《新一代人工智能发展规划》，主张发展"智能教育"。具体而言，该规划涉及利用人工智能来：(i)加快推动人才培养模式、教学方法改革，构建包含智能学习、交互式学习的新型教育体系；(ii)开展智能校园建设，推动人工智能在教学、管理、资源建设等全流程应用；(iii)开发立体综合教学场、基于大数据智能的在线学习教育平台；(iv)开发智能教育助理，建立智能、快速、全面的教育分析系统；(v)建立以学习者为中心的教育环境，提供精准推送的教育服务，实现日常教育和终身教育定制化。

■ 2017年，阿拉伯联合酋长国启动"阿联酋人工智能战略"。该计划涵盖了人工智能在九大主要部门的开发和应用，其中一个就是教育部门。它还强调了人工智能在降低成本和加强学习方面的潜力。

■ 2018年，欧盟发布了《人工智能对学习、教学和教育的影响》。这份文件首先阐述了人工智能对学习的影响，特别是对儿童和成人的认知能力的影响。它认为，人工智能可以支持现有的认知技能，加快认知发展，创造新的能力，并可能降低一些能力的重要性或导致这些能力被淘汰。该文件还阐述了需要绘制面向未来的人工智能愿景，并论述了人工智能对未来学习的影响，特别是对人工智能生成的学生模型和新的教学机会的影响。此外，这份文件强调，人工智能可能会在系统层面上产生深刻的影响。它承认，正在进行的广泛变革，即第四次工业革命中，人工智能仅仅是一个方面。为了应对这种情况，必须重新思考教育在社会中的作用、如何组织教育，以及教育应该实现哪些目标和需求。

■ 2019年，马耳他启动了"迈向人工智能战略"。该计划有三大战略支柱：(i)投资、创业和创新；(ii)公共部门采用人工智能；(iii)私营部门采用人工智能，并以教育作为关键赋能领域。其中规定：

> （国家教育体系必须）不断变革以适应第四次工业革命的要求。如今有很大比例的儿童在会说话之前就学会了与电子设备进行熟练互动，并浏览移动操作系统。他们在成长过程中把技术视为生活中不可或缺的一

表3：教育领域中人工智能相关政策指引概览

	方法		
	独立式	综合式	专题式
阿根廷		"学习互联"	
中国	《新一代人工智能发展规划》		《普通高中信息技术课程标准（2017年版）》 《高等学校人工智能创新行动计划》
爱沙尼亚			"编程老虎"项目
欧盟	《人工智能对学习、教学和教育的影响》		《通用数据保护条例》 《欧洲公民数字能力框架》
马来西亚		#我的数字创作器	
马耳他	《迈向人工智能战略——高级政策文件征求意见稿》		
韩国	《智能信息社会中长期准备计划》		
新加坡			Code@SG倡议——发展全民计算思维
阿拉伯联合酋长国	"阿联酋人工智能战略"		
美国	《国家人工智能研究与发展战略计划》		

部分。事实上，他们很少对"连接中断"这样的想法感到感伤，因为在他们所见的世界中，移动设备始终联网且持续推送着个性化的内容。因此，数字工具在马耳他的大多数学校里都很普遍，学校教师会使用交互式白板和平板电脑来增强教育体验。然而，……马耳他（还）必须考虑如何拓展课程本身，使儿童更好地做好准备，以适应由人工智能协助、支持和强化决策过程的未来工作场所。（Government of Malta，2019）

综合式

■ 2016年，马来西亚启动了"#我的数字创作器"（#mydigitalmaker）倡议，将计算思维融入教学课程。该项目倡导私营部门、公共部门和学术界相互协作，以"帮助创建并鼓励设置与教育部设定的目标相匹配的数字创作课程"（Ministry of Education & Malaysia Digital Economy Corporation，2017）（Pedro et al.，2019）。

■ 2017年，阿根廷发起了"学习互联"项目，旨在将数字学习融入各级义务教育。阿根廷计划在2019年前，实现编程和机器人技术在所有学校的推广和普及。该课程规定为学龄前到中学的各个年龄层次的学生提供有针对性的学习能力方案，充分发展其单独和协作使用计算方法与技术来解决问题的综合能力。

专题式

■ 2016年，欧盟议会批准了《通用数据保护条例》，其于2018年生效。制定该条例的目的在于：(i)协调欧盟各地区的数据隐私法；(ii)保护所有欧盟公民的数据隐私；(iii)重建欧盟各组织机构处理数据隐私的方式。

■ 2017年，欧盟推出了《欧洲公民数字能力框架》（"DigComp"）（Carretero et al.，2017），其中将数字能力解释为包括下列内容：(i)信息和数据素养；(ii)交流与协作；(iii)数字内容创作；(iv)安全性；(v)解决问题的能力。

■ 2017年，中国推出《普通高中信息技术课程标准（2017年版）》（中华人民共和国教育部，2017）。该文件旨在提高学生的(i)信息意识；(ii)计算思维；(iii)数字化学习与创新；(iv)信息社会责任。

根据《普通高中信息技术课程标准（2017年版）》的规定，信息通信技术课程包括信息通信技术必修课程、选择性必修课程和选修课程。信息通信技术必修课程包括两个模块：(i)数据与计算；(ii)信息系统与社会。选择性必修课程由基本模块和应用模块组成。其中，基本模块包括：(i)数据与数据结构，(ii)网络基础；(iii)数据管理与分析。应用模块包括：(i)人工智能初步；(ii)三维设计与创意；(ii)开源硬件项目设计。选修课程涉及算法初步和移动应用设计。

■ 2018年，中国启动《高等学校人工智能创新行动计划》（中华人民共和国教育部，2018），旨在推动高校人工智能的发展，其中包括：(i)优化高校人工智能科技创新体系；(ii)完善人工智能领域人才培养体系；(iii)推动高校人工智能领域科技成果转化与示范应用。

■ 2017年，新加坡推出"Code@SG倡议——发展全民计算思维"（Infocomm Media Development Authority，2017）。该倡议强调从学生幼年起即需要促进编程和计算思维，因为编程和计算思维在人们的日常生活和工作中发挥着越来越重要的作用。

■ 2012年，爱沙尼亚启动了由教育信息技术基金会（HITSA）管理，由爱沙尼亚教育和研究部资助的"编程老虎"（ProgeTiger）项目。该项目将编程和机器人技术纳入学前、小学和职业教育的全国课程当中。

5.2 政策的共同关注领域

从上述国家和区域政策来看，出现了四个主要关注领域：

- 管理数据和隐私的重要性（例如欧盟《通用数据保护条例》的规定）；

- 无论是对于人工智能技术还是对于数据，重视开源的核心价值——有助于确保平等、普遍提供机会，消除信息的不平等，促进增强透明度（UNESCO，2019b）；

- 可以解决人工智能的潜在问题和影响的课程创新，以马耳他的《迈向人工智能战略——高级政策文件征求意见稿》（Government of Malta，2019）为例，其中声明"马耳他的教育体系还需要发展以适应第四次工业革命的要求"；

- 为有效实施人工智能提供经济支持，如韩国为人工智能专业学生设立4500个国内奖学金名额，同时承诺拨款约20亿美元，设立6个人工智能研究生院，投入400万美元用于人工智能研究。

5.3 筹资、伙伴关系和国际合作

为了最大限度地实现人工智能在教育领域发展的效益，同时降低风险，必须做好全系统规划，开展关键评估，采取集体行动，持续投入资金，执行有效且有针对性的研究，加强国际合作。然而，在现实情况中，已经做好此类规划准备的国家或利益相关方则是凤毛麟角。真正积极参与对接技术、调动资源、确保人工智能在大规模学术研究的基础上得到应用的国家或利益相关方基本上屈指可数。大多数人还未认识到人工智能可能需要对学习方式进行根本性的改革，更不用说积极探索改革和创新。相反，讨论仍然停留在较为肤浅的层面上。比如，许多人认为学习的"个性化"是好事，但其定义较为含混：究竟是指为学习标准化内容制定个性化路线，还是指个性化的结果、能动性和自我实现？简单来说，仅仅认为人工智能应当用于教育环境显然是不够的。利益相关方还必须考虑应当使用哪些人工智能技术，如何对其加以利用，以及它们真正能够实现什么样的目标。

> **《北京共识——人工智能与教育》**
>
> 37. 通过联合国教科文组织移动学习周等方式并借助其他联合国机构，为各国之间交流有关教育人工智能领域的监管框架、规范文本和监管方式提供适当的平台，从而支持在发掘人工智能潜力促进可持续发展目标4方面开展南南合作和北南南合作，并从中受益。
>
> 38. 建立多利益相关方伙伴关系并筹集资源，以便缩小人工智能鸿沟，增加对教育人工智能领域的投资。
>
> （UNESCO，2019a，p.10）

6. 政策建议

6.1 全系统愿景和战略优先事项

确定人工智能与教育政策的全系统愿景

在教育领域应用人工智能，主要目的应该是促进学习，使每名学习者都能开发个人潜力。对于这些目的，政策均应予以如实反映和支持。然而，各国如果想要克服在实现可持续发展目标4的过程中遇到的挑战，就需要调整政策，使之不仅仅局限于人工智能在教育领域的应用，而是将人工智能与教育的所有关联考虑在内。这就意味着要使人们了解人工智能的运作方式、人工智能创造的过程，以及人工智能对当地和全球社会的广泛影响。

人工智能与教育政策的四大战略目标，须因地制宜地予以解释（即对于许多中等收入国家和低收入国家，关注点可能侧重于确定人工智能准备情况的差距，如基础设施和资金方面的差距，并着手解决）。

- 确保人工智能在教育领域中应用的包容性和公平性；

- 利用人工智能加强教育和学习；

- 推动发展人工智能时代的生活技能，包括教授人工智能的运作方式及其对人类的影响；

- 保障教育数据使用的透明化，且可对其使用过程进行审查。

然而，人工智能并非灵丹妙药，还有许多需要商议的事项，也有不少挑战亟待解决。

以下指导原则和政策建议还借鉴了《北京共识》（UNESCO，2019a），该共识在北京举行的"国际人工智能与教育大会"（2019年5月16日至18日）上达成。

据此，在阐明人工智能与教育政策的指导原则后，我们提出以下建议：

- 跨学科**规划**和跨部门**治理**；

- 确保公平、包容和合乎伦理地应用人工智能的**政策**；

- 为教育管理、教学、学习和评估人工智能的使用制定**总体规划**；

- 试点测试、**监测和评估**，并建立实证库；

- 促进本土化教育**人工智能技术创新**。

评估全系统的准备情况，选择战略优先事项

- 考虑教育政策规划战略优先事项之间的权衡关系，包括人工智能应用和其他优先事项之间的权衡关系，以及政策不同重点领域或构成部门之间的权衡关系。考虑这种权衡关系的基础是认真审视人工智能技术在本土情况下有助于实现可持续发展目标的潜力，并辅之以投资要求，即在教育环境中实施以人工智能应用为中心的政策和方案。此后，分析现有的和新兴的人工智能技术是否适合解决相关挑战，实现可持续发展目标4及其具体目标，以此确定战略优先事项。根据当地各个部门中发展人工智能技能和价值观的紧迫性，考虑其他可持续发展目标。应用或创建成本价值评估模式，评估实施人工智能政策和方案的教育效益（如提高效用、提高效率、扩大可及性）是否大于成本（如基础设施翻新、培训、整合，以及信任和自主权的降低、内容质量低下、教育数据滥用等风险）。

→ **示例**

全球人工智能战略态势——探索50个国家的人工智能战略，打造人类未来的潜力：https://www.holoniq.com/notes/the-global-ai-strategy-landscape/

解读中国的人工智能梦想——中国引领人工智能世界战略的背景、构成、能力和影响（Ding, 2018）：https://www.fhi.ox.ac.uk/wp-content/uploads/Deciphering_Chinas_AI-Dream.pdf

■ **基于全系统准备情况以及成本价值评估，确定政策的战略目标。** 应用或开发相关工具，评估全系统人工智能准备情况，包括基础设施；互联网连通性、数据、人工智能工具和本土人工智能人才的可用性，关键政策执行者的技能，以及利益相关方的认知情况。在确定时限性目标时，即便本土人员配置水平、基础设施和流程方面存在系统性不足，仍应确保实现人工智能系统的现实预期效益。由于教育范式的概念性未知和局限可能影响人工智能系统的能力，因此应将其纳入考虑。由此可以缓解对人工智能在教育中应用的影响欠缺系统研究的情况。

→ **示例**

全球人工智能准备指数：https://bit.ly/2UR2HXp

6.2 人工智能与教育政策的指导原则

采用人本主义方法作为人工智能与教育政策的指导原则

■ 指导人工智能与教育政策的制定和实践，以期保护人权，确保公众具备可持续发展所需的价值观和技能，并在生活、学习和工作中进行有效的人机协同。确保人工智能由人控制，以服务公众为中心，旨在提高学生和教师的能力。以伦理、非歧视、公平、透明和可审查的方式设计人工智能应用。监测和评估人工智能在整个价值链条中对人和社会的影响。

■ **培养开发和应用人工智能所需的人类价值观。** 在人工智能技术提高生产力的背景下，分析市场回报与人类价值观、技能和社会福利之间的潜在紧张关系。确定将人与环境置于效率之前的价值观，同时优先考虑人际互动，而非人机交互。

广泛树立企业和公民责任，以解决人工智能技术提出的关键社会问题（如公平性、透明度、问责制、人权、民主价值观、偏见和隐私）。确保将人始终置于教育的核心，将其作为技术设计的内含部分。防止在尚未确定和补偿当前实践价值的情况下使任务自动化。

→ **示例**

人文主义人工智能项目——法国人工智能战略：https://www.aiforhumanity.fr/en/

欧盟可信赖的人工智能伦理指南：https://ec.europa.eu/digital-single-market/en/news/ethics-guidelines-trustworthy-ai

经济合作与发展组织的人工智能原则：https://www.oecd.org/going-digital/ai/principles

6.3 跨学科规划和跨部门治理

调动跨学科和多利益相关方的专业知识，为政策规划提供信息，并提升决策者的能力

■ **为决策者和教育管理者提供知识并树立信心，使他们了解人工智能日益丰富的教育生态系统并做出决策。** 为决策者（包括财务规划师、政策制定者和政策实施管理者）提供持续培训机会。促进国内外利益相关方之间就专业知识和最佳实践展开交流。引导利益相关方充分了解应利用人工智能技术解决的教育难题。

→ **示例**

人工智能要素课程：https://www.elementsofai.com

■ **汇集跨部门、跨学科和多利益相关方的专业知识。** 为政策规划的关键决策提供信息。汇集不同研究界人士（如神经科学、认知科学、社会心理学和人文学科的教育工作者、学习领域科学家和人工智能工程师等）的专业知识，设计出以用户为中心且基于结果的人工智能技术，以满足真正的课堂需求。联系各国际组织，为人工智能决策提供信息和建议。考虑人工智能的发展潜力，并结合和分析多种数据源，以改善决策效率。

→ **示例**

欧洲人工智能联盟的人工智能高级专家组：https://ec.europa.eu/digital-single-market/en/high-level-expert-group-artificial-intelligence

建立跨部门治理和协调机制

■ **采用整个政府的和全系统的方法，规划和治理教育环境中人工智能应用的政策。** 应采用一致的全系统战略以及循证的包容性方法（如参与式设计和共同创造框架，Pobiner & Murphy，2018），以确保人工智能与教育和现有教育政策及任何更广泛的国家人工智能战略相一致并融合。针对在整个教育系统或任何更广泛的跨部门战略中的人工智能应用，如果达成共识，则考虑将人工智能在全系统改造中推广运用。

■ **为政策治理和协调建立全系统的组织结构，** 以确保实施过程能够平衡自上而下和自下而上的方法，这涉及关键合作伙伴和利益相关方要尽可能实现跨部门协作和资源共享。其中应包括：一个中央管理委员会，负责指挥、支持和监督政策执行；一个协调机构，负责管理合作伙伴和协作；一个代表小组，负责执行政策。最为重要的是，应制定一套关于政策治理的综合原则，并始终如一地贯彻执行，让委员会能够行使所有权和问责制。

→ **示例**

澳大利亚：https://education.nsw.gov.au/content/dam/main-education/teaching-and-learning/education-for-a-changing-world/media/documents/Future_Frontiers_discussion_paper.pdf

■ **建立开放和迭代的循环周期，包括规划、实施、监测和更新政策的关键步骤。** 此类步骤应形成持续的学习过程。监测和研究应被整合到总体规划中，重点关注技能、知识和价值观的具体成果和收益。监测和研究方必须进行战略性沟通，并通知决策者，以便使反馈作用于有效且可靠的实证基础，从而促进发展。政策执行过程必须允许审查和修正。

■ **促进开源人工智能的本土化和重复利用，以孵化本土开发。** 根据具体的国家和文化背景，打造专门性的开源人工智能工具和平台，这一点较为关键，因为很多的人工智能技术都拥有专有知识产权。采用共享数据和算法的开源代码策略，培育本土创新能力，并缓解国家之间和学习者群体内部的数字鸿沟。

> **示例**
>
> 全球南营人工智能目录，"Knowledge 4 All"基金会：https://www.k4all.org/

> X5gon项目（跨模式、跨文化、跨语言、跨领域和跨站点的全球OER网络）：https://www.x5gon.org/
>
> 日本"Society 5.0"：https://www8.cao.go.jp/cstp/english/society5_0/index.html

6.4 确保公平、包容和合乎伦理地应用人工智能的政策和法规

制定跨部门的战略目标，规划规章制度和方案，确保在教育中公平、包容地使用人工智能

■ **建立和监测可衡量的目标，以确保教学和开发人工智能服务的包容性、多样性和公平性。** 确定哪些人将从其实施活动中受益。加强适当的基础设施，如互联网接入、硬件和软件，以便公平地利用教育人工智能所带来的效益。采取措施惠及社会最弱势群体。专注于可将不同背景和能力的学生纳入其中的教育人工智能。

> **示例**
>
> 数字孟加拉国：https://a2i.gov.bd

■ **审查人工智能减轻或加重偏见的能力。** 揭示未知的风险，并减轻此类风险。测试人工智能工具，并确认其并不存在偏见（Pennington，2018），且已接受有关多样化（性别、残疾状况、社会经济地位、种族和文化背景以及地理位置等）数据代表性的训练。培养重视公平、公正的人工智能的理念，尊重多样性。激发一种设计方法，将伦理、隐私和安全融入教育领域人工智能的研究和开发。

■ **创建无性别偏见的人工智能应用程序，确保用于开发的数据具有性别敏感性。** 激励促进性别平等的人工智能应用程序。赋予妇女和女孩人工智能技能，以促进劳动力和雇主实现性别平等。

> **示例**
>
> 联合国教科文组织的出版物《如果我能，我会脸红》（I'd blush if I could），阐述了消除不同性别之间的数字技能差异的策略：https://unesdoc.unesco.org/ark:/48223/pf0000367416

■ **制定数据保护法律，确保教育数据的收集和分析过程可见、可追踪，并可由教师、学生和家长进行审查。** 为谋求公共利益，制定有关数据所有权、隐私权和可用性的明确政策。遵循专家组围绕更广泛的人工智能数据问题而制定的国际准则。遵守国际公认的伦理规范。

> **示例**
>
> 自2018年5月25日起适用于所有欧盟成员国的《通用数据保护条例》，目的是协调整个欧盟的数据隐私法律：https://gdpr-info.eu/
>
> 欧盟可信赖的人工智能伦理指南：https://ec.europa.eu/digital-single-market/en/news/ethics-guidelines-trustworthy-ai

■ **调研在开放获取和数据隐私之间实现平衡的方案。** 测试和采用新兴的人工智能技术和工具，以确保教师和学生的数据隐私权和安全性。制定全面的监管框架，保证学习者以符合伦理、非歧视、公平、透明和可审查的方式使用和重复使用数据。

■ **促进有关人工智能伦理、数据隐私和安全性问题的公开讨论，以及关于人工智能对人权和性别平等负面影响的关注。** 确保人工智能用于积极善意的方面，防止有害应用。解决知情同意的复杂问题——特别是在不少使用者无法真

正给予知情同意的情况下（如有学习障碍的儿童和学生）。

> **→ 示例**
>
> **DataKind**，倡导社会组织应与大型科技公司一样可以获得数据科学资源：https://www.datakind.org

6.5 在教育管理、教学、学习和评估中使用人工智能的总体规划

利用人工智能促进和提升教育管理和供给

■ **探索人工智能技术如何能够改进教育管理信息系统。** 利用人工智能使教育管理信息系统更加稳定可靠、便于访问、精简、功能强大、用户友好且高效。使循证决策和管理朝着更加灵活、动态化和民主化的过程发展，数据流的发展更能适应社会和教育模式的变化。投资于可以利用人工智能能力的方案，实现对技能和需求的全系统预测，使政府能够做好满足本土相关教育需求的准备，并将其与金融、经济、法律和医学等部门相结合。

> **→ 示例**
>
> 英国开放大学的**OU分析**，通过分析该大学教育管理信息系统的大数据，预测学生成绩，并找出存在考试不及格风险的学生：https://analyse.kmi.open.ac.uk

■ **实现教育管理信息系统的整体转型及其与学习管理系统的整合。** 确保教育管理信息系统根据人工智能赋能教育所引发的变化而做出相应调整，提供将学习管理系统与教育管理信息系统集成的手段，从而助力其朝着更综合、更丰富、更全面的评估方式发展。

> **→ 示例**
>
> **智学网（智慧学习）**，由中国科大讯飞开发的学习管理系统，提供个性化在线辅导课程：https://www.zhixue.com/login.html

■ **授权管理者、教师和学生推广应用以人工**智能为动力的教育管理信息系统和学习管理系统。分析将以人工智能赋能的教育管理信息系统和学习管理系统引入学校的成本。确保降低学校管理者和教师的准入成本，为其带来效益，而不会增加行政工作负担。建立并监测可视化、透明的自动收集有关教师实践和学生活动的数据的流程。推广使用人工智能，支持个性化的资源和结果，使学习者可以形成个人见解，并在不同的环境中充分发挥自己的技能和知识，同时保留对其个人数据和数字身份的控制。

> **→ 示例**
>
> **LabXchange**，由安进基金会和哈佛大学文理学院联合推出，是免费的在线科学教育平台，为用户提供个性化教学、虚拟实验室体验，以及与全球科学界建立联系的机会：https://www.multivu.com/players/English/8490258-amgen-foundation-harvard-labxchange

培养以学习者为中心的人工智能应用，以加强学习和评估

■ **在机器和计算机代理知识日益丰富的背景下，强化和重申人类对自身学习的权威和自主性。** 询问教师和学生对人工智能技术的看法，并根据反馈意见确定如何在学习环境中部署人工智能。让学生了解收集到的数据类型、使用这些数据的方法，以及这些数据可能对学生的学习、职业和社交生活产生的影响。防止机构将人工智能技术用于监视。相反，应当树立学生之间的信任，并使用人工智能敦促学生取得

进步，而不是增加监视。

■ **在整合人工智能工具的过程中，强调学生的能动性与社会福祉。** 保护学生作为个体成长的能动性和动力，保证游戏和休闲时间、社会互动和学校休息时间。使用基于人工智能的工具，尽量减轻家庭作业和考试的压力，而不是徒增压力。支持学生适应新的人工智能工具和方法，以便此等工具和方法能够对其学习产生积极的影响。允许学生认真观察在课堂上使用人工智能所带来的挑战，并对此给予反馈。

→ **示例**

科大讯飞研发的智能儿童关爱机器人**阿尔法蛋**（AlphaEgg）：https://ifworlddesignguide.com/entry/203859-alphaegg

The CoWriter，利用机器人学习提升写字水平，由瑞士洛桑联邦理工学院CHILI（学习和教学中的人机交互）开发：https://www.epfl.ch/labs/chili/index-html/research/cowriter；https://www.youtube.com/watch?v=E_iozVysl5g

■ **审查和调整课程，以反映在教学与学习中日益广泛采用人工智能所带来的教学和评估变化。** 与人工智能供应商和教育工作者合作，确定应对课程框架和评估方法变化的最恰当方式，为探索人工智能提供有利的政策环境和课程空间。开展全国倡议，邀请学生代表参与，以提升课程中的新能力。

→ **示例**

数字教育（Digital Education），面向所有阿根廷学生的编程和机器人技术教育：https://www.argentina.gob.ar/educacion/aprender-conectados/nucleos-de-aprendizajes-prioritarios-nap

■ **测试和部署人工智能技术，以支持能力和结果的多维度评估。** 将人工智能整合到心理测量评估中，可能包括在情境判断测试中与学生进行聊天机器人式对话。避免将人工智能作为预测学生未来教育和职业发展的唯一手段。针对"基于规则"的封闭式问题的回答，在采用基于算法的自动评分时，应要谨慎。支持教师使用基于人工智能的形成性评估，将其作为人工智能赋能学习管理系统的集成功能，以更高的精度和效率分析学生学习的数据，并减少人为偏见。挖掘基于人工智能的渐进式评估潜力，为教师、学生和家长提供定期更新。从人性化的角度，测试并评估在远程在线考试中使用人脸识别和其他人工智能技术进行用户认证和监考的效果。

→ **示例**

基于人工智能的评估系统：https://www.researchgate.net/publication/314088884_Towards_artificial_intelligence-based_assessment_systems

确保人工智能用于赋能教师

■ **保护教师的权利及其实践的价值。** 与教育工作者协商，确保其权利得到保护，并在部署人工智能技术时考虑他们的意见。开展试点研究和规模化试验，集成人工智能技术时，重点关注教师的日常实践需求。促进人工智能工具的研发，用以支持教学工作，而不是取代教师的核心职能。提供循证指导，使教师能够掌握私营部门提供的基于人工智能的技术。制定标准和评级，帮助教师在知情的前提下决定哪些工具最适合其需要。

■ **分析和审查教师在促进知识转移、人际互动、高阶思维和人类价值观方面的作用。** 分析自动执行某些任务的益处，避免减少或损害学习实践的风险。对于需要耗费教师大量时间但能提供重要信息的任务，减少自动化执行。确定依靠教师自主性和动力的具体方面，在将人工智能引入教学实践的过程中继续保留和强化这些方面，并保持对教师权威和能力的高度信任。

■ **确定教师所需的技能，以便于其在设计和组织学习活动以及自身专业发展中，搜寻和应用人工智能工具。** 分析教学环境中人机协同所需的技能。在将人工智能应用于教师职业发展、管理基于人工智能的评估以及设计和实施人工智能强化学习活动时，应评估所需的模式变更。参考《联合国教科文组织教师信息与通信技术能力框架》（UNESCO，2018），更新教师能力框架和培训计划。

■ **提供培训，确保持续支持，帮助教师获得有效使用人工智能的技能。** 在部署人工智能平台或工具之前，制定并提供规定技能的培训计划，防止出现由于人工智能功能不可用或不可靠而导致教师无法履行其职责的情况。提前计划，确保教师能够将人工智能新技术应用到其当前的实践中，并过渡至新的工作方式。鼓励形成教育者社区，分享经验和日常最佳实践，并促进人工智能工具的创新使用。提供基于新兴技术研究的简化指南，使教师随时掌握可在课堂环境中应用的最新成果，并增加教师终身学习的机会，紧跟课堂内外人工智能所带来的变化。

> → **示例**
>
> 《联合国教科文组织教师信息与通信技术能力框架》：https://unesdoc.unesco.org/ark:/48223/pf0000265721
>
> K-12教育中的人工智能资源，国际教育技术协会（ISTE）：https://www.iste.org/learn/AI-in-education

计划使用人工智能支持不同年龄、地点和背景的终身学习

■ **积极寻求和推广人工智能的使用，旨在支持广泛的教育方法和多样化的终身学习途径。** 培养和维护各机构利用人工智能的能力，使其更具活力，能为更多的非传统学习者提供服务，并提供正式、非正式、日常场合的终身学习。为传统机构提出可行的机制，使其向混合方法的方向发展，将面对面教学与动态发展的人工智能赋能课程相结合。同时，为机构和人工智能供应商之间的伙伴关系提供激励，以促进人工智能工具的发展，最大限度地增加终身学习的机会。

■ **建立人工智能工具和系统，跟踪不同学习水平和地点的学习成果和证书。** 开发人工智能平台、工具和系统，跟踪学习成果，实现更简单的技能专业化。探索使用人工智能的各种方法，以扩大获取教育证书和资格认证的途径。

> → **示例**
>
> 新加坡政府的**技能未来**（**SkillsFuture**）**倡议**：https://www.skillsfuture.gov.sg
>
> 新加坡的**开放认证**（**OpenCert**），支持验证"任何"机构颁发的终身学习证书：https://opencerts.io

■ **解决不同年龄群体在获得人工智能方面的不平衡问题。** 为最弱势群体（包括老年人）发起倡议活动，消除门槛，激发不同年龄和背景的学习者对人工智能的兴趣。

在人工智能时代培养生活和工作的价值观和技能

■ **建立预测模型，以确定就业和技能发展趋势，为面临人工智能自动化风险的工作人员制定再培训方案。** 确定工作自动化的社会成本，提高公众对由此产生的国家和全球技能需求变化的认识。将国家的重点放在强化各级教育中面向未来的技能上。提供技能再培训的途径，培养劳动力的适应力，以应对劳动力市场的系统性和长期转型。为年长的工作人员提供特殊保护，因为年纪越大，学习新技能和适应新环境的能力就越弱。鼓励在培训方案中纳入对人工智能如何影响各职业的关注。

> → **示例**
>
> 欧洲职业培训开发中心（CEDEFOP）技能预测，欧盟的技能预测和准备工具：https://www.cecefop.europa.eu/en/publications-and-resources/data-visualisations/skills-forecast

■ 将人工智能相关技能纳入学校课程以及技术

和职业教育与培训（TVET）资格。修改课程，使学生为未来做好准备，确保这些改变与经济、劳动力市场和社会在所有学科和能力方面的变化相关联。制定课程、项目和资格鉴定方案，围绕人工智能技术的运作方式、伦理含义以及设计方式，普及相关认识和专业知识。以教学研究和完善的方法论为基础，支持开发学习人工智能的工具。

→ **示例**

Wekinator，由Rebecca Fiebrink创建的免费开源软件，用户可以使用机器学习构建新乐器、手势游戏控制器以及计算机视听系统：http://www.wekinator.org/

Teaching AI for K12，由联合国教科文组织和爱立信创建的门户网站，提供免费资源的链接，教师可以使用此类资源教授人工智能，还可以查询有关人工智能的部分信息：http://teachingaifork12.org

■ **采取机制提高社会各领域的人工智能素养。** 向所有公民提供人工智能基础教育，指导其在人工智能背景下批判且负责任地思考其自身选择、权利、特权及其对日常生活的影响。告知他们如何保护自己的隐私，管控其自有数据和决策。教育大众认识人工智能的局限性，了解人工智能和人类智能之间的差异，消除有关人工智能的神话和炒作。细致整合新兴人工智能素养技能与现有基础技能，如媒体和信息素养，确定如何合并不同的必要素养，防止课程负担过重。

→ **示例**

百分之一（1 Percent），芬兰为其民众提供人工智能培训的计划：https://www.politico.eu/article/finland-one-percent-ai-artificial-intelligence-courses-learning-training/

■ **帮助高等教育和研究机构培养本土人工智能人才。** 制定计划，帮助高等教育和研究机构建立或强化培养本土人工智能人才的计划，并创建性别均衡的人才库，其存储的人才来自不同的社会经济背景，并具备设计人工智能系统的专业知识。开发专业硕士课程，重新培养人工智能工程师，并鼓励工程公司投资对劳动力进行人工智能再培训。

■ **留住本土人工智能人才。** 激励人工智能公司立足本土发展。缓解工资与奖励的地区间差异。提供有意义的智力挑战，良好地平衡工作和生活之间的关系，从而留住人工智能专业人员。

→ **示例**

"下一代人工智能"（Next AI），在加拿大多伦多和蒙特利尔的校园内开展的项目，旨在找到高素质的团队，利用加拿大的资源，为它们提供必要的资金、指导、教育和网络：https://www.nextcanada.com/next-ai/

中国政府的一项计划，将培养至少500名高校人工智能专业教师和5000名人工智能专业学生：https://www.ecns.cn/2018/04-07/298280.shtml

6.6 试验、监测和评估，建立实证库

建立可信的实证库，支持AI在教育中的应用

■ **测试并扩大将人工智能应用于学习的循证途径。** 根据教育优先事项，而非采取新奇或炒作的方式，鼓励试点测试和循证采用技术，例如人工智能增强的个性化学习模型、基于对话的导学系统、探索性学习系统、作文自动评阅系统、语言学习工具、基于人工智能的艺术作品和音乐生成器、聊天机器人、增强现实和虚拟现实工具以及学习网络协调器等。鼓励采用促进学习环境开放性、探索性和多样性的人工智

能工具，培养广泛的、可迁移的能力，包括社交情感技能、元认知、协作能力、解决问题的能力和创造力。确保人工智能在教育中的应用具有战略性（即具有长期的教学目标），而非短期的或临时的。

> **示例**
>
> **ITalk2Learn**，欧洲为期三年的合作项目（2012年11月—2015年10月），旨在开发开源智能指导平台，为5至11岁的学生学习数学提供支持：https://www.italk2learn.com/
>
> 英国的**FractionsLab**，打造探索性学习环境，利用人工智能驱动的反馈，教导分数的学习：http://fractionslab.lkl.ac.uk
>
> 由中国义学教育集团开发的**松鼠AI学习**，基于模式识别算法的自适应学习引擎：http://squirrelai.com/; https://www.technologyreview.com/s/614057/china-squirrel-has-started-a-grand-experiment-in-ai-education-it-could-reshape-how-the/
>
> **SmartMusic**，一套基于网络的音乐教育工具，支持音乐学习者的练习和发展：https://www.smartmusic.com/
>
> **AIArtists.org**，提供生成人工智能艺术的创造性工具：https://aiartists.org/ai-generated-art-tools

■ 根据以往教学研究和方法学的经验，建立人工智能专门标准，以系统且严格地验证供应商关于人工智能潜力的声明。制定人工智能专门标准，解决人类、社会和伦理问题，这些问题与在教育中应用人工智能的三大核心组成部分相关，即数据、算法分析和教育实践。

■ **促进人工智能系统的本土试点评估，评价其适切性和有效性。** 对外部供应商提供的人工智能系统设计并实施大规模试点评估。测试其是否与当地环境适切，在教育实践、目标、多样性、文化和人口统计方面是否卓有成效。利用结果来定制人工智能系统的数据、设计和集成，以响应本土需求。监控系统的应用，以防止发生利益或合作冲突，以及与数据保护或所有权相关的分歧。

■ 计算并分析大规模利用人工智能技术的环境成本。制定人工智能公司要达到的可持续目标，以避免造成气候变化和对自然环境的破坏。鼓励采取环保的方式，为大规模部署人工智能生产所需的能源和资源。

加强人工智能与教育领域的研究和评估

■ **利用人工智能促进和改进教育研究和创新。** 利用人工智能数据收集的实践和方法，改进教育技术研究。从成功的案例中吸取经验，扩大循证实践。

■ **审查人工智能对教育的全面影响。** 利用研究和审查过程，充分了解将人工智能纳入当地教育环境之后所产生的社会和伦理影响。对未知挑战和风险进行批判性审查，包括师生合作以及学生之间协作关系发生的变化、社会动态的变化等等。

■ **鼓励投资并提供有针对性的资金，以便为教育领域的人工智能构建循证生态系统。** 激励和支持商业部门与高校开展人工智能应用程序的研究和开发，增强本土的知识技能，同时尽量减少既得利益的影响。

■ **在政府主导和企业主导发展领域以外的领域，为人工智能与教育的研究提供资金并采取激励措施。** 在研究和高校环境中，保护本土人工智能教育专业知识的发展和推广，并尽量减少既得利益对人工智能开发内容或其评估方式的影响。

> **示例**
>
> 由联合国教科文组织支持的**国际人工智能研究中心（IRCAI）**，其任务是进行人工智能的研究、宣传、能力建设和信息传播：https://ircai.org/

6.7 促进本土化教育人工智能技术创新

促进本土人工智能技术在教育领域的发展

- **吸引企业投资，并提供资金，以创建实证库。** 激励和支持开发以人为本的人工智能教育工具，聚集学习者、资助者、商业开发者、教育工作者和学习领域科学家，以应对市场失灵、全球教育实践的复杂性，以及推广各倡议计划所面临的挑战。

- **推动创新，孵化人工智能技术和工具的本土开发。** 协调专业知识、资源和能力，并在企业的人工智能设计中利用实证性研究方法。对以消费者为目标的人工智能进行独立评估，鼓励未来人工智能一致向"以人为本"的方向发展。投资于本土人才的教育和培训，并在投资网络之内，在能触及劳动力和消费市场的前提下，鼓励尝试在本土建立人工智能创业生态系统。参与国际合作，为大规模部署人工智能技术建立相关的资源和能力，从而开发本土化人工智能工具和专业知识。

> **→ 示例**
>
> **IBM非洲研究实验室**（IBM Research-Africa），IBM的第12个全球研究实验室，也是非洲大陆上的首个工业研究机构。该实验室通过开发可行的解决方案来推动创新，改变人们的生活，并在教育等关键领域创造新的商业契机：https://www.research.ibm.com/labs/africa

参考资料

中华人民共和国教育部. 2017. 教育部关于印发《普通高中课程方案和语文等学科课程标准（2017年版）》的通知. 网址: http://www.moe.gov.cn/srcsite/A26/s8001/201801/t20180115_324647.html（查阅日期: 2020年12月29日）.

中华人民共和国教育部. 2018. 教育部关于印发《高等学校人工智能创新行动计划》的通知. 网址: http://www.moe.gov.cn/srcsite/A16/s7062/201804/t20180410_332722.html（查阅日期: 2020年12月29日）.

Adams, R. 2019. Artificial intelligence has a gender bias problem – just ask Siri. *The Conversation* Available at: https://theconversation.com/artificial-intelligence-has-a-gender-bias-problem-just-ask-siri-123937 (Accessed 28 March 2021).

AIArtists.org. 2019. *AIArtists*. Available at: https://aiartists.org/ai-generated-art-tools (Accessed 28 March 2021).

Baker, T., Smith, L. and Anissa, N. 2019. *Educ-AI-tion Rebooted? Exploring the future of artificial intelligence in schools and colleges*. London, NESTA. Available at: https://www.nesta.org.uk/report/education-rebooted (Accessed 28 March 2021).

Barrett, H. 2017. Plan for five careers in a lifetime. Financial Times. Available at: https://www.ft.com/content/0151d2fe-868a-11e7-8bb1-5ba57d47eff7 (Accessed 29 December 2020).

Belpaeme, T., Kennedy, J., Ramachandran, A., Scassellati, B. and Tanaka, F. 2018. Social robots for education: A review. *Science Robotics*, Vol. 3, No. 21, pp. 1–9.

Bernardini, S., Porayska-Pomsta, K. and Smith, T. J. 2014 ECHOES: An intelligent serious game for fostering social communication in children with autism. *Information Sciences*, Vol. 264, pp. 41–60.

Bhutani, A. and Wadhwani P. 2018. Artificial Intelligence (AI) in Education Market Size, By Model (Learner, Pedagogical, Domain), By Deployment (On-Premise, Cloud), By Technology (Machine Learning, Deep Learning, Natural Language Processing (NLP)), By Application (Learning Platform & Virtual Facilitators, Intelligent Tutoring System (ITS), Smart Content, Fraud & Risk Management), By End-Use (Higher Education, K-12 Education, Corporate Learning), Industry Analysis Report, Regional Outlook, Growth Potential Competitive Market Share & Forecast, 2018 – 2024. Available at: https://www.gminsights.com/industry-analysis/artificial-intelligence-ai-in-education-market (Accessed 29 December 2020).

Bloom, B. S. 1984. The 2 Sigma Problem: The search for methods of group instruction as effective as one-to-one tutoring. *Educational Researcher*, Vol. 13, no. 6, pp. 4–16.

Brown, T. B., Mann, B., Ryder, N., Subbiah, M., Kaplan, J., Dhariwal, P., Neelakantan, A., Shyam, P., Sastry, G., Askell, A., Agarwal, S., Herbert-Voss, A, Krueger, G., Henighan, T., Child, R., Ramesh, A., Ziegler, D. M., Wu, J., Winter, C., …Amodei, D. 2020. Language Models are Few-Shot Learners. ArXiv:2005.14165 [Cs]. Available at: http://arxiv.org/abs/2005.14165 (Accessed 22 February 2021).

Brynjolfsson, E. and McAfee, A., 2014. The Second Machine Age: Work, Progress, and Prosperity in a Time of Brilliant Technologies. WW Norton & Company, New York, NY.

Burt, A. 2019. The AI Transparency Paradox, Harvard Business Review [Online]. Available at: https://hbr.org/2019/12/the-ai-transparency-paradox (Accessed 28 December 2020).

Carbonell, J. R. 1970. AI in CAI: An artificial-intelligence approach to computer-assisted instruction. *IEEE Transactions on Man-Machine Systems*, Vol. 11, No. 4, pp. 190–202.

Carretero, S., Vuorikari, R., and Punie, Y. 2017. *DigComp 2.1: The digital competence framework for citizens with eight proficiency levels and examples of use*, EUR 28558 EN. Available at: http://publications.jrc.ec.europa.eu/repository/bitstream/JRC106281/web-digcomp2.1pdf_(online).pdf (Accessed 22 February 2021).

CEDEFOP, 2019. *Skills Forecast: EU tool for skills prediction and preparation*. Available at: https://www.cedefop.europa.eu/en/publications-and-resources/data-visualisations/skills-forecast (Accessed 29 December 2020).

Cohen, P.A., Kulik, J.A. and Kulik, C.-L.C. 1982. Educational Outcomes of Tutoring: A Meta-Analysis of Findings. *American Educational Research Journal* 19, 237–248.

COMEST (UNESCO World Commission on the Ethics of Scientific Knowledge and Technology) 2019. Preliminary Study on the Ethics of Artificial Intelligence. Available at: https://unesdoc.unesco.org/ark:/48223/pf0000367823. (Accessed 28

December 2020).

Connor, N. 2018. Chinese school uses facial recognition to monitor student attention in class. The Telegraph. Available at: https://www.telegraph.co.uk/news/2018/05/17/chinese-school-uses-facial-recognition- monitor-student-attention (Accessed 28 December 2020).

Cukurova, M., Luckin, R., Mavrikis, M. and Millán, E., 2017. Machine and human observable differences in groups' collaborative problem-solving behaviours, in: European Conference on Technology Enhanced Learning. Springer, pp. 17–29.

DataKind, 2013. *DataKind*. Available at: https://www.datakind. org (Accessed 29 December 2020).

Dautenhahn, K., Nehaniv, C. L., Walters, M. L., Robins, B., Kose-Bagci, H., Mirza, N. A. and Blow, M. 2009. KASPAR –a minimally expressive humanoid robot for human–robot interaction research. *Applied Bionics and Biomechanics*, Vol. 6, No. 3-4, Special Issue on Humanoid Robots, pp. 369–397.

Dean Jr., D. and Kuhn, D. 2007. Direct instruction vs. discovery: The long view. *Science Education*, Vol. 91, No. 3, pp. 384–397.

Ding, J. 2018. *Deciphering China's AI Dream. The Context, Components, Capabilities, and Consequences of China's Strategy to Lead the World in AI*. Centre for the Governance of AI, Future of Humanity Institute, University of Oxford. Available at: https://www.fhi.ox.ac.uk/wp-content/uploads/Deciphering_Chinas_AI-Dream.pdf (Accessed 22 February 2021).

Dong, X., Wu, J. and Zhou, L. 2017. Demystifying AlphaGo Zero as AlphaGo GAN. Available at: http://arxiv.org/abs/1711.09091 (Accessed 15 February 2020).

Douglas, L. 2017. AI is not just learning our biases; it is amplifying them. *Medium*. Available at: https://medium.com/@laurahelendouglas/ai-is-not-just-learning-ourbiases-it-is-amplifying-them-4d0dee75931d (Accessed 28 August 2018).

du Boulay, B. 2016. Artificial intelligence as an effective classroom assistant. *IEEE Intelligent Systems*, Vol. 31, No. 6, pp. 76–81.

du Boulay, B., Poulovassilis, A., Holmes, W. and Mavrikis, M. 2018. What does the research say about how artificial intelligence and big data can close the achievement gap? R. Luckin (ed.), *Enhancing Learning and Teaching with Technology*. London, Institute of Education Press, pp. 316–327.

ECNS. 2018. *China to train 500 teachers in AI*. Available at: http://www.ecns.cn/2018/04-07/298280.shtml (Accessed 29 December 2020).

EPFL Technical University, n.d.. *The CoWriter*. Available at: https://www.epfl.ch/labs/chili/index-html/research/cowriter (Accessed 29 December 2020).

European Union. 2016. *General Data Protection Regulation*. Available at: https://eur-lex.europa.eu/legal-content/ EN/TXT/PDF/?uri=CELEX: 32016R0679 (Accessed 22 February 2021).

European Union. 2018. *The General Data Protection Regulation*. Available at: https://gdpr-info.eu (Accessed 29 December 2020).

European Union. 2019. *Ethics guidelines for trustworthy AI*. Available at: https://ec.europa.eu/digital-single-market/en/news/ethics-guidelines-trustworthy-ai (Accessed 29 December 2020).

Feathers, T. 2019. Flawed Algorithms Are Grading Millions of Students' Essays. Vice. Available at: https://www.vice.com/en_us/article/pa7dj9/flawed-algorithms-are-grading-millions-of-students-essays (Accessed 13 January 2020).

Feng, J. 2019. China to curb facial recognition technology in schools. SupChina. Available at: https://supchina. com/2019/09/06/china-to-curb-facial-recognition- technology-in-schools (Accessed 29 December 2020).

Ferguson, R., Brasher, A., Clow, D., Cooper, A., Hillaire, G., Mittelmeier, J., Rienties, B., Ullmann, T. and Vuorikari, R. 2016. Research Evidence on the Use of Learning Analytics: Implications for Education Policy. Available at: http://oro.open.ac.uk/48173/ (Accessed 22 February 2021).

Fiebrink, R. 2018. *The Wekinator*. Available at: http://www. wekinator.org (Accessed 29 December 2020).

Finnish Government. 2019. *1 Percent*. Available at: https:// www.politico.eu/article/finland-one-percent-ai-artificial-intelligence-courses-learning-training/ (Accessed 29 December 2020).

Ford, M. 2018. *Architects of Intelligence: The truth about AI from the people building it*. Birmingham, Packt Publishing.

Frey, C.B. and Osborne, M. A. 2017. The future of employment: How susceptible are jobs to computerisation? Technological Forecasting and Social Change 114: 254–280.

Frontier Economics. 2018. The Impact of Artificial Intelligence on Work. An evidence review prepared for the Royal Society and the British Academy. Available at: https://royalsociety.org/-/media/policy/projects/ai-and-work/frontier-review-the-impact-of-AI-on-work.pdf (Accessed 3 February 2021).

Giest, S. 2017. Big data for policymaking: Fad or fast-track? *Policy Sciences*, Vol. 50, No. 3, pp. 367–382.

Goel, A.K. and Polepeddi, L. 2017. Jill Watson: A virtual teaching assistant for online education. Georgia Institute of Technology. Available at: https://smartech.gatech.edu/handle/1853/59104 (Accessed 22 February 2021).

Goertzel, B. 2007. Human-level artificial general intelligence and the possibility of a technological singularity: A reaction to Ray Kurzweil's The Singularity Is Near, and McDermott's critique of Kurzweil. *Artificial Intelligence*, Vol. 171, No. 18, Special Review Issue, pp. 1161–1173.

Government of Malta. 2019. *Towards an AI Strategy. High-level policy document for public consultation. Available at:* https://malta.ai/wp-content/uploads/2019/04/Draft_Policy_document_-_online_version.pdf (Accessed 2 January 2020).

Government of the People's Republic of China. 2017. *Next Generation of Artificial Intelligence Plan*. Available at: https://fla.org/wp-content/uploads/2017/07/A-New-Generation-of-Artificial-Intelligence-Development-Plan-1.pdf (Accessed 22 February 2021).

Government of the Republic of Korea. 2016. *Mid- to Long-Term Master Plan in Preparation for the Intelligent Information Society: Managing the Fourth Industrial Revolution*. Available at: http://www.msip.go.kr/dynamic/file/afieldfile/msse56/1352869/2017/07/20/Master%20Plan%20for%20the%20intelligent%20information%20society.pdf (Accessed 15 March 2019).

Graesser, A. C., VanLehn, K., Rosé, C. P., Jordan, P. W. and Harter, D. 2001. Intelligent tutoring systems with conversational dialogue. *AI Magazine*, Vol. 22, No. 4, p. 39.

Graham, J. 2018. Meet the robots teaching Singapore's kids tech. Available at: https://apolitical.co/solution_article/meet-the-robots-teaching-singapores-kids-tech/ (Accessed 5 April 2019).

Hao, K. 2019. In 2020, let's stop AI ethics-washing and actually do something - MIT Technology Review [WWW Document]. MIT Technology Review. Available at: https://www.technologyreview.com/s/614992/ai-ethics-washing-time-to-act/ (Accessed 13 January 2020).

Harvard University and Amgen Foundation. 2020. *LabXchange*. Available at: https://www.multivu.com/players/English/8490258-amgen-foundation-harvard-labxchange (Accessed 29 December 2020).

Harwell, D. 2019. Colleges are turning students' phones into surveillance machines, tracking the locations of hundreds of thousands [WWW Document]. Washington Post. Available at: https://www.washingtonpost.com/technology/2019/12/24/colleges-are-turning-students-phones-into-surveillance-machines-tracking-locations-hundreds-thousands (Accessed 3 January 2020).

Hawking, S., Russell, S., Tegmark, M. and Wilczek, F. 2014. Transcendence looks at the implications of artificial intelligence – but are we taking AI seriously enough? *The Independent*, May. Available at: http://www.independent.co.uk/news/science/stephen-hawking-transcendence-looks-at-the-implications-of-artificial-intelligence-but-are-we-taking-ai-seriously-enough-9313474.html (Accessed 13 September 2015).

Heikkila, A. 2018. Telepresence In Education And The Future Of eLearning. eLearning Industry. Available at: https://elearningindustry.com/telepresence-in-education-future-elearning (Accessed 29 December 2020).

Herodotou, C., Gilmour, A., Boroowa, A., Rienties, B., Zdrahal, Z. and Hlosta, M. 2017. Predictive modelling for addressing students' attrition in higher education: The case of OU Analyse. The Open University, Milton Keynes, United Kingdom. Available at: http://oro.open.ac.uk/49470/ (Accessed 5 November 2018).

Herold, B. 2018. How (and Why) Ed-Tech Companies Are Tracking Students' Feelings [WWW Document]. Education Week. Available at: https://www.edweek.org/technology/how-and-why-ed-tech-companies-are-tracking-students-feelings/2018/06 (Accessed 28 December 2020).

HITSA. 2017. *ProgeTiger Programme 2015-2017*. Available at: https://www.hitsa.ee/it-education/educational-programmes/progetiger (Accessed 1 November 2019).

Holmes, W., Anastopoulou, S., Schaumburg, H. and Mavrikis, M. 2018a. *Technology-Enhanced Person-*

alised Learning: Untangling the evidence. Stuttgart, Robert Bosch Stiftung. Available at: https://www.bosch-stiftung.de/sites/default/files/publications/pdf/2018-08/Study_Technology-enhanced%20Personalised%20Learning.pdf (Accessed 22 February 2021).

Holmes, W., Bektik, D., Whitelock, D. and Woolf, B. P. 2018b.Ethics in AIED: Who cares? C. Penstein Rosé, R. Martínez-Maldonado, H. U. Hoppe, R. Luckin, M. Mavrikis, K.Porayska-Pomsta, B. Mc-Laren, and B. du Boulay (eds.), *Lecture Notes in Computer Science*. London, Springer International Publishing, vol. 10948, pp. 551–553.

Holmes, W., Bialik, M. and Fadel, C. 2019. *Artificial Intelligence in Education: Promises and implications for teaching and learning*. Boston, MA, Center for Curriculum Redesign.

Holstein, K., McLaren, B. M. and Aleven, V. 2018. Student learning benefits of a mixed-reality teacher awareness tool in AI-enhanced classrooms. C. Penstein Rosé, R. Martínez-Maldonado, H. U. Hoppe, R. Luckin, R., M. Mavrikis, K. Porayska-Pomsta, B. McLaren, and B. du Boulay (eds.), *Proceedings of the 19th International Conference, AI in Education 2018 London, United Kingdom, June 27–30, 2018*. Cham, Springer International Publishing, vol. 10947, pp. 154–168.

Hood, D., Lemaignan, S. and Dillenbourg, P. 2015. When Children Teach a Robot to Write: An Autonomous Teachable Humanoid Which Uses Simulated Handwriting. *ACM/IEEE International Conference on Human-Robot Interaction 2015*, 83–90.

Hopkins, P. and Maccabee, R. 2018. *Chatbots and digital assistants: Getting started in FE and HE*. Bristol, JISC.

Hume, K.H., 2017. Artificial intelligence is the future—but it's not immune to human bias. Macleans. Available at: https://www.macleans.ca/opinion/artificial-intelligence-is-the-future-but-its-not-immune-to-human-bias (Accessed 28 March 2021).

IBM, n.d.. *IBM Research–Africa*. Available at: https://www.research.ibm.com/labs/africa (Accessed 29 December 2020).

Infocomm Media Development Authority. 2017. *CODE@ SG Movement: Developing Computational Thinking as a National Capability*. Available at: https://www.imda.gov.sg/for-community/digital-readiness/Computational-Thinking-and-Making (Accessed 1 September 2019).

iFLYTEK, n.d.. *AlphaEgg*. Available at: https://ifworld-designguide.com/entry/203859-alphaegg (Accessed 29 December 2020).

ILO (International Labour Organization). 2019. *Work for a Brighter Future: Global Commission on the Future of Work*. Available at: https://www.ilo.org/wcmsp5/groups/public/---dgreports/---cabinet/documents/publication/wcms_662410.pdf (Accessed 26 January 2021).

IRCAI (*International Research Centre on Artificial Intelligence* under the auspices of UNESCO). 2020. Available at: https://ircai.org/ (Accessed 29 December 2020).

iResearch Global. 2019. *2018 China's K12 Dual-teacher Classes Report*. Available at: http://www.iresearchchina.com/content/details8_51472.html (Accessed 5 April 2019).

ISTE (International Society for Technology in Education). 2018. *Resources on AI in K-12 education*. Available at: https://www.iste.org/learn/AI-in-education (Accessed 29 December 2020).

James, E. A., Milenkiewicz, M. T. and Bucknam, A. 2008. *Participatory Action Research for Educational Leadership: Using data-driven decision making to improve schools*. Sage.

Jobin, A., Ienca, M., and Vayena, E. 2019. Artificial Intelligence: The global landscape of ethics guidelines. Nature Machine Intelligence, 1(9), 389–399.

Joshi, D. 2017. Quoted in https://www.theguardian.com/business/2017/aug/20/robots-are-not-destroying-jobs-but-they-are-hollow-out-the-middle-class (Accessed 20 January 2021).

Kelly, S., Olney, A.M., Donnelly, P., Nystrand, M. and D'Mello, S.K. 2018. Automatically measuring question authenticity in real-world classrooms. Educational Researcher, 47(7), pp.451-464.

Kreitmayer, S., Rogers, Y., Yilmaz, E. and Shawe-Taylor, J. 2018. Design in the Wild: *Interfacing the OER Learning Journey*. Presented at the Proceedings of the 32nd International BCS Human Computer Interaction Conference.

Lee, K. F. 2018. *AI Superpowers: China, Silicon Valley and the New World Order*. Houghton Mifflin Harcourt Publishing Company.

Leelawong, K. and Biswas, G. 2008. Designing learning by teaching agents: The Betty's Brain system. *International Journal of Artificial Intelligence in Education*, Vol. 18, No. 3, pp. 181–208.

Leetaru, K. 2018. Does AI truly learn, and why we need to stop overhyping deep learning.

Forbes. Available at: https://www.forbes.com/sites/kalevleetaru/2018/12/15/does-ai-truly-learn-and-why-we-need-to-stop-overhyping-deep-learning/ (Accessed 10 February 2020).

Leopold, T. A., Ratcheva, V., and Zahidi S. 2018. The Future of Jobs Report 2018. World Economic Forum. Available at: http://www3.weforum.org/docs/WEF_Future_of_Jobs_2018.pdf (Accessed 3 February 2021).

Loizos, C. 2017. AltSchool wants to change how kids learn, but fears have surfaced that it's failing students. TechCrunch. Available at: https://social.techcrunch.com/2017/11/22/altschool-wants-to-change-how-kids-learn-but-fears-that-its-failing-students-are-surfacing (Accessed 29 December 2020).

Lucas, L. 2018. China's artificial intelligence ambitions hit hurdles. *Financial Times*. Available at: https://www.ft.com/content/8620933a-e0c5-11e8-a6e5-792428919cee (Accessed 17 February 2019).

Luckin, R. 2017. *Towards artificial intelligence-based assessment systems*. Nat Hum Behav 1, 0028.

Luckin, R. and Holmes, W. 2017. *A.I. Is the New T.A. in the Classroom*. Available at: https://howweget-tonext.com/a-i-is-the-new-t-a-in-the-classroom-dedbe5b99e9e#---0-237.wcmt24rx7 (Accessed 4 January 2017).

Luckin, R., Cukurova, M., Baines, E., Holmes, W. and Mann, M. 2017. *Solved! Making the case for collaborative problem-solving*, London, Nesta. Available at: https://www.nesta.org.uk/report/solved-making-the-case-for-collaborative-problem-solving/ (Accessed 22 February 2021).

Luckin, R., Holmes, W., Griffiths, M. and Forcier, L. B. 2016. *Intelligence Unleashed: An argument for AI in Education*. London, Pearson. Available at: https://www.pearson.com/content/dam/one-dot-com/one-dot-com/global/Files/about-pearson/innovation/open-ideas/Intelligence-Unleashed-v15-Web.pdf (Accessed 22 February 2021).

Lupton, D. and Williamson, B. 2017. The datafied child: The dataveillance of children and implications for their rights', *New Media & Society*, Vol. 19, No. 5, pp. 780–794.

Madgavkar, A. et al. 2019. The Future of Women at Work: Transitions in the age of automation. McKinsey Global Institute. Available at: https://www.mckinsey.com/featured-insights/gender-equality/the-future-of-women-at-work-transitions-in-the-age-of-automation (Accessed 3 February 2021).

Manyika, J., Lund, S., Chui, M., Bughin, J., Wcetzel, J., Batra, P., Ko, R.and Sanghvi, S. 2017. Jobs lost, jobs gained: Workforce transitions in a time of automation. McKinsey Global Institute. Available at: https://www.mckinsey.com/~/media/BAB489A30B724BECB5DEDC41E9BB9FAC.ashx (Accessed 3 February 2021).

Marcus, G. and Davis, E. 2019. *Rebooting AI: Building artificial intelligence we can trust*. New York, Ballantine Books Inc.

Marsh, J.A., Pane, J.F. and Hamilton, L.S. 2006. Making sense of data-driven decision making in education: Evidence from recent RAND research. Available at: https://www.rand.org/pubs/occasional_papers/OP170.html (Accessed 22 February 2021).

Mavrikis, M. 2015a. *FractionsLab*. Available at: http://fractionslab.lkl.ac.uk/ (Accessed 29 December 2020).

Mavrikis, M. 2015b. *ITalk2Learn*. Available at: https://www.italk2learn.com (Accessed 29 December 2020).

McCarthy, J., Minsky, M. L., Rochester, N. and Shannon, C. E. 2006. A proposal for the Dartmouth Summer Research Project on Artificial Intelligence, August 31, 1955. *AI Magazine*, Vol. 27, No. 4, pp. 12–14.

McKinney, S. M., Sieniek, M., Godbole, V., Godwin, J., Antropova, N., Ashrafian, H., Back, T., Chesus, M., Corrado, G. C., Darzi, A., Etemadi, M., Garcia-Vicente, F., Gilbert, F. J., Halling-Brown, M., Hassabis, D., Jansen, S., Karthikesalingam, A., Kelly, C. J., King, D., Ledsam, J. R., Melnick, D., Mostofi H., Peng, L., Reicher, J. J., Romera-Paredes, B., Sidebottom, R., Suleyman, M., Tse, D., Young, K. C., Fauw, J. D. and Shetty, S. 2020. International evaluation of an AI system for breast cancer screening. *Nature*, Vol. 577, No. 7788, pp. 89–94.

Ministry of Education, Argentina. 2017. *Aprender Conectados*. Available at: https://www.educ.ar/recursos/150823/presentacion-plan-aprender-conectados (Accessed 29 December 2020).

Ministry of Education, People's Republic of China. 2017. *New ICT Curriculum Standards for Senior High School*. Available at: http://www.moe.gov.cn/srcsite/A26/s8001/201801/t20180115_324647.html (Accessed 29 December 2020).

Ministry of Education, People's Republic of China. 2018. *Innovative Action Plan for Artificial Intelligence in Higher Education Institutions*. Available at: http://www.moe.gov.cn/srcsite/A16/s7062/201804/t20180410_332722.html (Accessed 29 December 2020).

Ministry of Education & Malaysia Digital Economy Corporation. 2017. *Digital Maker Playbook*. Available at: https://mdec.my/wp-content/uploads/DMH-Playbook-2021-25Jan2021.pdf (Accessed 22 February 2021).

MIT Technology Review and GE Healthcare. 2019. *How artificial intelligence is making health care more human*. Available at: https://www.technologyreview.com/hub/ai-effect/ (Accessed 9 January 2020).

Mitchell, M. 2019. *Artificial Intelligence: A guide for thinking humans*. London, Penguin.

Moravec, H. 1988. *Mind Children: The future of robot and human intelligence*. Boston, MA, Harvard University Press.

Mulgan, G. 2018. Artificial intelligence and collective intelligence: the emergence of a new field . AI & Society, 33, 631–632.

Narayanan, A. 2019. *How to Recognize AI Snake Oil*. Available at: https://www.cs.princeton.edu/~arvindn/talks/MIT-STS-AI- snakeoil.pdf (Accessed 22 February 2021).

National Science and Technology Council. 2016. The National Artificial Intelligence Research and Development Strategic Plan. Available at: https://www.nitrd.gov/news/national_ai_rd_strategic_plan.aspx (Accessed 9 January 2020).

Nemorin, S. 2021. Fair-AI. Project Update #6. Preliminary Findings. Available at: https://www.fair-ai.com/project-update-6 (Accessed 4 February 2021).

Next. 2000. *Next AI*. Available at: https://www.nextcanada.com/next-ai (Accessed 29 December 2020).

O'Neil, C. 2017. *Weapons of Math Destruction: How big data increases inequality and threatens democracy*. London, Penguin.

Pareto, L. 2009. Teachable Agents that Learn by Observing Game Playing Behavior, in: Craig, S.D., Dicheva, D. (Eds.), Proceedings of AIED 2009. Presented at the AIED 2009: 14th International Conference on Artificial Intelligence in Education, Brighton, pp. 31–40.

Pedro, F., Miguel, S. Rivas, A., and Valverde, P. 2019. *Artificial Intelligence in Education: Challenges and opportunities for sustainable development*. Paris, UNESCO. Available at: https://unesdoc.unesco.org/ark:/48223/pf0000366994 (Accessed 29 December 2020).

Pennington, M., 2018. Five tools for detecting Algorithmic Bias in AI. Technomancers - LegalTech Blog. Available at: https://www.technomancers.co.uk/2018/10/13/five-tools-for-detecting-algorithmic-bias-in-ai/ (Accessed 29 December 2020).

Pobiner, S. and Murphy, T. 2018. Participatory design in the age of artificial intelligence. Deloitte Insights. Available at: https://www2.deloitte.com/us/en/insights/focus/cognitive-technologies/participatory-design-artificial-intelligence.html (Accessed 29 December 2020).

Robinson, A. and Hernandez, K. 2018. Quoted in https://www.edsurge.com/news/2018-11-15-dear-mr-zuckerberg-students-take-summit-learning-protests-directly-to-facebook-chief (Accessed 29 March 2021).

Rummel, N., Mavrikis, M., Wiedmann, M., Loibl, K., Mazziotti, C., Holmes, W. and Hansen, A. 2016. Combining exploratory learning with structured practice to foster conceptual and procedural fractions knowledge. C. K. Looi, J. Polman, U. Cress, and P. Reimann (eds.), *Transforming Learning, Empowering Learners: The International Conference of the Learning Sciences (ICLS) 2016*. Singapore, International Society of the Learning Sciences, Vol. 1, pp. 58–65.

Russell, S. and Norvig, P. 2016. *Artificial Intelligence: A modern approach*, 3rd edition. Boston, MA, Pearson.

Säuberlich, F. and Nikolić, D. 2018. AI without machine learning. *Teradata Blog*. Available at: https://www.teradata.com/Blogs/AI-without-machine-learning (Accessed 22 December 2019).

Schwab, K. 2017. *The Fourth Industrial Revolution*. New York, NY, Crown Publishing.

Searle, J. R. 1980. Minds, brains, and programs. *Behavioral and Brain Sciences*, Vol. 3, No. 3, pp. 417–424.

Seldon, A. and Abidoye, O. 2018. *The Fourth Education Revolution: Will artificial intelligence liberate or infantilise humanity?* University of Buckingham Press.

Self, J. A. 1974. Student models in computer-aided instruction. *International Journal of Man-Machine Studies*, Vol. 6, No. 2, pp. 261–276.

SmartMusic, n.d.. *SmartMusic*. Available at: https://www.smartmusic.com (Accessed 29 December 2020).

Smith, A. and Anderson. J., 2014. AI, Robotics, and the Future of Jobs. Pew Research Center. Washington, DC. Available at: https://www.pewresearch.org/internet/wp-content/uploads/sites/9/2014/08/Future-of-AI-Robotics-and-Jobs.pdf (Accessed 1 February, 2021).

Smith, M. L. and Neupane, S. 2018. Artificial Intelligence and Human Development. Toward a Research Agenda., Ottawa, International Development Research Centre. Available at: https://www.idrc.ca/en/stories/artificial-intelligence-and-human-development (Accessed 22 February 2021).

Stone, P., Brooks, R., Brynjolfsson, E., Calo, R., Etzioni, O., Hager, G., Hirschberg, J., Kalyanakrishnan, S., Kamar, E., Kraus, S., Leyton-Brown, K., Parkes, D., Press, W., Saxenian, A., Shah, J., Tambe, M. and Teller, A. 2016. *Artificial Intelligence and Life in 2030, A 100 Year Study on Artificial Intelligence: Report of the 2015 Study Panel*. Stanford, CA, Stanford University. Available at: http://ai100.stanford.edu/2016-report (Accessed 1 February 2019).

Tencent Research Institute. 2017. Global Artificial Intelligence Talent White Paper. Available at: https://www.tisi.org/Public/Uploads/file/20171201/20171201151555_24517.pdf (Accessed 22 February 2021).

The Open University. 2018. *OU Analyse*. Available at: https://analyse.kmi.open.ac.uk (Accessed 29 December 2020).

Trafton, A. 2020. Artificial intelligence yields new antibiotic. MIT News | Massachusetts Institute of Technology. Available at: https://news.mit.edu/2020/artificial-intelligence-identifies-new-antibiotic-0220 (Accessed 28 December 2020).

Tuomi, I. 2018. The impact of artificial intelligence on learning, teaching, and education. M. Cabrera, R. Vuorikari, and Y. Punie (eds.), *Policies for the future*. Luxembourg, Publications Office of the European Union, EUR 29442 EN. Available at: https://ec.europa.eu/jrc/en/publication/impact-artificial-intelligence-learning-teaching-and-education (Accessed 22 February 2021).

Turing, A. M. 1950. Computing machinery and intelligence. *Mind*, Vol. 59, No. 236, pp. 433–460.

UNESCO. 2016. *The World Needs Almost 69 Million New Teachers to Reach the 2030 Education Goals*. UIS Fact Sheet, UNESCO Institute for Statistics. Available at: http://uis.unesco.org/en/file/784/download?token=150HBrZo (Accessed 22 February 2021).

UNESCO. 2018. *ICT Competency Framework for Teachers*. Available at: https://unesdoc.unesco.org/ark:/48223/pf0000265721 (Accessed 29 December 2020).

UNESCO. 2019a. Beijing Consensus on Artificial Intelligence and Education. Available at: https://unesdoc.unesco.org/ark:/48223/pf0000368303 (Accessed 29 December 2020).

UNESCO. 2019b. Steering AI and Advanced ICTs for Knowledge Societies A Rights, Openness, Access, and Multi-stakeholder Perspective. Available at: https://unesdoc.unesco.org/ark:/48223/pf0000372132 (Accessed 29 December 2020).

UNESCO. 2020. Outcome document: first draft of the Recommendation on the Ethics of Artificial Intelligence. Available at: https://unesdoc.unesco.org/ark:/48223/pf0000373434 (Accessed 29 December 2020).

UNESCO and EQUALS Skills Coalition. 2019. *I'd blush if I could: closing gender divides in digital skills through education*. Available at: https://unesdoc.unesco.org/ark:/48223/pf0000367416 (Accessed 29 December 2020).

United Arab Emirates. 2017. *UAE Strategy for Artificial Intelligence*. Available at: https://u.ae/en/about-the-uae/strategies-initiatives-and-awards/federal-governments-strategies-and-plans/uae-strategy-for-artificial-intelligence (Accessed 22 February 2021).

United Nations. 2015. *The 2030 Agenda for Sustainable Development: Sustainable Development Goals*. Available at: https://sustainabledevelopment.un.org (Accessed 1 February 2019).

Verbert, K., Duval, E., Klerkx, J., Govaerts, S. and Santos, J. L. 2013. Learning analytics dashboard applications. *American Behavioral Scientist*, Vol. 57, No. 10, pp. 1500–1509.

Villanueva, C. C. 2003. Education Management Information System (EMIS) and the Formulation of Education for All (EFA) Plan of Action, 2002-2015. UNESCO Almaty Cluster Office and the Ministry of Education of Tajikistan. Available at: https://unesdoc.unesco.org/ark:/48223/pf0000156818 (Accessed 22 February 2021).

World Economic Forum. 2018. Insight Report. The Global Gender Gap Report. Available at: http://www3.weforum.org/docs/WEF_GGGR_2018.pdf (Accessed 21 July 2020).

World Economic Forum and Boston Consulting Group. 2016. *New Vision for Education: Fostering social and emotional learning through technology*. Geneva, Switzerland. Available at: https://www.weforum.org/reports/new-vision-for-education-fostering-social-and-emotional-learning-through-technology (Accessed 22 February 2021).

Yixue Group. n.d.. *Squirrel AI Learning*. Available at: https://www.technologyreview.com/2019/

08/02/131198/china-squirrel-has-started-a-grand-experiment-in-ai-education-it-could-reshape-how-the/ (Accessed 29 December 2020).

Zawacki-Richter, O., Marín, V. I., Bond, M. and Gouverneur, F. 2019. Systematic review of research on artificial intelligence applications in higher education – where are the educators? *International Journal of Educational Technology in Higher Education,* Vol. 16, No. 1, pp. 1–27.

Zheng, N., Liu, Z., Ren, P., Ma, Y., Chen, S., Yu, S., Xue, J., Chen, B., & Wang, F. 2017. Hybrid-augmented intelligence: Collaboration and cognition. *Frontiers of Information Technology & Electronic Engineering,* 18(2), 153–179.

Zhixue. n.d.. *Intelligent Learning.* Available at: https://www.zhixue.com/login.html (Accessed 29 December 2020).

Zhong, Y. X. 2006. A cognitive approach and AI research. *2006 5th IEEE International Conference on Cognitive Informatics*, Vol. 1, pp. 90-100.

注释

1. "AI for Peace"小组为政策制定者提供了更详细的非技术性指导：https://www.aiforpeace.org/library。
2. 计算能力需要大量能源，这会对世界气候产生重大影响。
3. https://www.gehealthcare.com/article/artificial-intelligence-helps-doctors-with-critical-measurement-during-pregnancy。
4. https://ai.googleblog.com/2018/12/improving-effectiveness-of-diabetic.html。
5. https://www.nytimes.com/2019/05/20/health/cancer-artificial-intelligence-ct-scans.html。
6. 例如，研究人员用一些随机噪点将人工智能工具可正确识别的熊猫图片遮盖起来，人还是能很容易识别出该图片为熊猫，但人工智能工具却将其识别为长臂猿。同样，在路标上随意粘贴一些小纸片（比如停车标志）会导致自动驾驶汽车误判。
7. 首次介绍这种复杂性的开创性著作为Russell and Norvig (2016)。
8. https://www.mturk.com。
9. https://www.ft.com/content/a4b6e13e-675e-11e5-97d0-1456a776a4f5。
10. https://thispersondoesnotexist.com。
11. https://otter.ai。
12. https://www.alibabacloud.com/products/machine-translation。
13. https://lens.google.com。
14. https://woebothealth.com。
15. https://www.affectiva.com。
16. https://www.frontiersin.org/articles/10.3389/fnhum.2019.00076/full。
17. https://cs.nyu.edu/faculty/davise/papers/GPT3CompleteTests.html。
18. 使用聊天机器人回答客户的银行账户查询，表明银行领域也开始悄然发生变化（https://www.scmp.com/business/companies/article/2128179/hsbcs-amy-and-other-soon-be-released-ai-chatbots-are-about-change）。然而，谷歌备受争议的双工技术如今的智能化水平已然消沉。
19. https://www.apple.com/uk/siri/。
20. https://www.digitaltrends.com/home/what-s-amazons-alexa-and-what-can-it-do/。
21. https://dueros.baidu.com/en/index.html。
22. https://www.gearbest.com/blog/tech-news/huawei-releases-ai-smart-speaker-mini-with-xiaoyi-voice-assistant-in-china-6420。
23. https://www.jisc.ac.uk/news/chatbot-talks-up-a-storm-for-bolton-college-26-mar-2019。
24. http://genie.deakin.edu.au。
25. https://analyse.kmi.open.ac.uk。
26. https://www.swiftelearningservices.com/learning-analytics-big-data-in-elearning。
27. http://kidaptive.com。
28. https://www.unitime.org。
29. https://moodle.org。
30. https://open.edx.org。
31. https://www.khanacademy.org。
32. 例如，贝叶斯知识点追踪或绩效因素分析。
33. Alef: https://alefeducation.com。
34. ALEKS: https://www.aleks.com。
35. Byjus: https://byjus.com（注：欧洲未提供）。
36. Mathia: https://www.carnegielearning.com。
37. Qubena: https://qubena.com。
38. Riiid: https://riiidlabs.ai/。
39. 松鼠AI: http://squirrelai.com。
40. https://educationcommission.org。
41. Watson Tutor: https://www.ibm.com/blogs/watson/2018/06/using-ai-to-close-learning-gap/。
42. 详见：https://theconversation.com/artificial-intelligence-can-now-emulate-human-behaviors-soon-it-will-be-dangerously-good-114136。关于人工智能可以"写"作业的早期实例，请参见https://openai.com/blog/better-language-models/#sample6。
43. WriteToLearn: https://www.pearsonassessments.com/professional-assessments/products/programs/write-to-learn.html。
44. e-Rater: https://www.ets.org/erater/about。
45. Turnitin: https://www.turnitin.com。
46. Smartmusic: https://www.smartmusic.com。
47. 人工智能教师：http://aiteacher.100tal.com。
48. "神奇英语"利用人工智能帮助学生大声读英语。它还提供实时反馈以及人工智能驱动的评估。请参见https://www.prnewswire.com/news-releases/xueersi-online-school-releases-dual-teacher-product-offering-more-english-speaking-time-than-one-on-one-teaching-300626008.html。
49. Babbel: https://www.babbel.com。
50. 多邻国：https://www.duolingo.com。
51. https://elearningindustry.com/telepresence-in-education-future-elearning。
52. https://www.softbankrobotics.com/emea/en/nao。
53. https://www.softbankrobotics.com/emea/en/pepper。
54. https://www.youtube.com/watch?v=E_iozVysl5g。
55. https://www.blippar.com。
56. https://eonreality.com/eon-reality-education。
57. https://edu.google.com/products/vr-ar。
58. http://www.neobear.com。
59. http://www.vrmonkey.com.br。
60. https://thirdspacelearning.com。
61. http://slp.bnu.edu.cn。

62 https://www.mofaxiao.com/。

63 https://tesla-project.eu。

64 开放的分布式账本,由互联网上数百万台计算机同时托管,并采用加密技术连接,能以可验证、不可破坏和可访问的方式共享数据。

65 例如Ada Lovelace研究所(https://www.adalovelaceinstitute.org)、人工智能伦理倡议(https://aiethicsinitiative.org)、人工智能伦理实验室(http://www.aiethicslab.com)、AI Now (https://ainow-institute.org)、DeepMind伦理与社会(https://deepmind.com/applied/deepmind-ethics-society)和牛津互联网学院(https://www.oii.ox.ac.uk/blog/can-we-teach-morality-to-machines-three-perspectives-on-ethics-for-artificial-intelligence)。同时参见: Winfield, Alan F. T. & Jirotka, M. 2018. Ethical governance is essential to building trust in robotics and artificial intelligence systems. Phil. Trans. R. Soc. A. 376. 参见"人工智能的9大伦理问题",网址: https://www.weforum.org/agenda/2016/10/top-10-ethical-issues-in-artificial-intelligence,"建立人工智能伦理道德准则,难度超过预期",网址: https://www.technologyreview.com/s/612318/establishing-an-ai-code-of-ethics-will-be-harder-than-people-think,以及Willson, M. 2018. Raising the ideal child? Algorithms, quantification and prediction. Media, Culture & Society, 5。

66 https://www.brainco.tech。并参见https://www.independent.co.uk/news/world/asia/china-schools-scan-brains-concentration-headbands-children-brainco-focus-a8728951.html。

67 例如,参见: XPrize (https://learning.xprize.org)。

68 https://digitallibrary.io。

69 https://www.changedyslexia.org。

70 如: http://www.voiceitt.com, https://www.nuance.com, https://otter.ai和https://kidsense.ai。

71 https://blogs.microsoft.com/ai/ai-powered-captioning/。

72 https://consumer.huawei.com/uk/campaign/storysign/。

73 为自闭症谱系障碍儿童开发的机器人实例为Kaspar (Dautenhahn et al., 2009)。

74 例如,参见: Frey & Osborne, 2017; Frontier Economics, 2018; Leopold et al., 2018; Madgavkar et al., 2019; Manyika et al., 2017。

75 Manpower Group.2016.Millennial Careers: 2020 Vision-Facts, figures and practical advice from workforce experts.网址: https://www.manpowergroup.com/wps/wcm/connect/660ebf65-144c-489e-975c-9f838294c237/MillennialsPaper1_2020Vision_lo.pdf?MOD=AJPERES。

76 例如,参见:《全球人工智能人才白皮书》(Tencent Research Institute, 2017)。

77 设计相关课程,使公民熟悉人工智能的工作原理,网址: https://www.elementsofai.com, https://okai.brown.edu和http://ai-4-all.org。

78 帮助教师向学生介绍人工智能的资源,详见: http://teachingaifork12.org和https://github.com/touretzkyds/ai4k12/wiki。

79 http://www.gettingsmart.com/2018/07/coming-this-fall-to-montour-school-district-americas-first-public-school-ai-program。

80 https://www.teensinai.com。

81 https://www.skillsfuture.gov.sg/。

82 https://microcompetencies.com。

83 https://github.com/touretzkyds/ai4k12/wiki。

84 http://teachingaifork12.org。

85 https://www.elementsofai.com。

86 https://okai.brown.edu。

87 http://ai-4-all.org。

88 https://www.oecd.ai/dashboards。

出 版 人　李　东
责任编辑　翁绮睿
版式设计　郝晓红
责任校对　马明辉
责任印制　叶小峰

图书在版编目（CIP）数据

人工智能与教育：政策制定者指南 / 联合国教科文组织编 . —北京：教育科学出版社，2021.12
书名原文：AI and Education: Guidance for Policy-makers
ISBN 978-7-5191-2852-4

Ⅰ.①人… Ⅱ.①联… Ⅲ.①人工智能－应用－教育管理　Ⅳ.①G40-058

中国版本图书馆CIP数据核字（2021）第258208号

人工智能与教育：政策制定者指南
RENGONG ZHINENG YU JIAOYU: ZHENGCE ZHIDINGZHE ZHINAN

出版发行	教育科学出版社			
社　　址	北京·朝阳区安慧北里安园甲9号	邮　　编	100101
总编室电话	010-64981290	编辑部电话	010-64981252
出版部电话	010-64989487	市场部电话	010-64989009
传　　真	010-64891796	网　　址	http://www.esph.com.cn
经　　销	各地新华书店		
制　　作	北京京久科创文化有限公司		
印　　刷	北京联合互通彩色印刷有限公司		
开　　本	890毫米×1240毫米　1/16	版　　次	2021年12月第1版
印　　张	4.25	印　　次	2021年12月第1次印刷
字　　数	94千	定　　价	35.00元

图书出现印装质量问题，本社负责调换。